Dagboek van een slecht jaar

J.M. Coetzee bij Uitgeverij Cossee

Schemerlanden
In het hart van het land
Wachten op de barbaren
Wereld en wandel van Michael K
Mr. Foe en Mrs. Barton
IJzeren tijd
De meester van Petersburg
Jongensjaren
In ongenade
Portret van een jongeman
Elizabeth Costello
Elizabeth Costello – De roman in Afrika (luisterboek)
Hij en zijn man (Nobelprijsrede)
Langzame man
Wat is een klassieke roman? (essays)
Als een vrouw ouder wordt

J.M. Coetzee

Dagboek van een slecht jaar

Vertaling
Peter Bergsma

Cossee
Amsterdam

De vertaler ontving voor deze vertaling een werkbeurs van het Fonds voor de Letteren.

Eerste druk augustus 2007
Tweede druk september 2007

Oorspronkelijke titel *Diary of a Bad Year*

Omslagillustratie Caspar David Friedrich, *Nebel im Elbtal*, ca. 1821, Nationalgalerie Berlin.
Foto Jörg P. Anders/Berlin, Stiftung Preußische Schlösser und Gärten Berlin-Brandenburg, Park Charlottenburg, Neuer Pavillon (Schinkel-Pavillion)/bpk
Boekverzorging Marry van Baar
Foto auteur Basso Cannarsa
Druk Hooiberg, Epe

ISBN 978 90 5936 169 0 | NUR 302

INHOUD

EEN

Uitgesproken meningen

12 september 2005 – 31 mei 2006

I. Over de oorsprong van de staat

Elke uiteenzetting over de oorsprong van de staat gaat uit van de vooronderstelling dat 'wij' – niet wij de lezers maar een generiek wij dat zo ruim is dat het niemand uitsluit – deel hebben aan zijn totstandkoming. Het geval wil echter dat de enige 'wij' die we kennen – onszelf en onze naasten – in de staat geboren zijn; en ook onze voorouders zijn in de staat geboren voor zover we dat kunnen nagaan.

(Tot hoever kunnen we dat nagaan? In het Afrikaanse denken heerst de algemene opvatting dat we na de zevende generatie geen onderscheid meer kunnen maken tussen geschiedenis en mythe.)

Als wij, ondanks het bewijs dat door onze zintuigen wordt geleverd, de vooronderstelling accepteren dat wij of onze voorouders de staat hebben gecreëerd, dan moeten we ook de consequentie daarvan aanvaarden: dat wij of onze voorouders de staat in een andere vorm zouden hebben kunnen creëren, als we daarvoor hadden gekozen; en misschien ook dat we hem zouden kunnen veranderen, als we daar collectief toe besloten. Het geval wil alleen dat, zelfs collectief, degenen die 'onder' de staat vallen, die tot de staat 'behoren', grote moeite zullen hebben om de vorm ervan te veranderen; zij – wij – zijn zeker niet bij machte om hem af te schaffen.

Wij zijn nauwelijks bij machte om de vorm van de staat te veranderen en kunnen hem al helemaal niet afschaffen omdat we letterlijk machteloos staan tegenover de staat. In de mythe van het stichten van de staat, zoals opgetekend door Thomas Hobbes, was ons afglijden naar machteloosheid vrijwillig: om te ontsnappen aan het geweld van eindeloze interne oorlogen (vergelding op vergelding, wraak op wraak, de vendetta) hebben we het recht om fysieke macht uit te oefenen individueel en afzonderlijk aan de staat afgestaan (recht is macht, macht is recht), waarmee we in het gebied (de bescherming) van de wet belandden. Zij die ervoor kozen en kiezen om

---

De eerste glimp die ik van haar opving, was in de wasserette. Het was halverwege de ochtend op een kalme lentedag en ik zat naar het ronddraaien van de was te kijken, toen deze bepaald opzienbarende vrouw kwam binnenlopen. Opzienbarend omdat het laatste dat ik verwachtte zo'n verschijning was; en ook omdat het tomaatrode hemdjurkje dat ze droeg zo opzienbarend kort was.

zich aan die afspraak te onttrekken werden en worden wetteloos.

De wet beschermt de burger die gehoorzaam is aan de wet. Ze beschermt zelfs tot op zekere hoogte de burger die, hoewel hij de kracht van de wet niet ontkent, zijn eigen kracht inzet tegen zijn medeburger: de voorgeschreven straf voor de overtreder moet in overeenstemming zijn met zijn vergrijp. Zelfs de vijandelijke soldaat, voor zover hij de vertegenwoordiger is van een rivaliserende staat, zal niet ter dood worden gebracht als hij gevangen wordt genomen. Maar er is geen wet die de wetteloze beschermt, de man die de wapenen tegen zijn eigen staat opneemt, dat wil zeggen, de staat die hem opeist als zijn onderdaan.

Buiten de staat (het gemenebest, de *status civitatis*), zegt Hobbes, mag het individu dan het gevoel hebben dat hij volmaakte vrijheid geniet, die vrijheid doet hem geen goed. Binnen de staat, daarentegen, 'behoudt iedere burger net zoveel vrijheid als hij nodig heeft om een goed en vreedzaam leven te leiden, [terwijl] anderen genoeg vrijheid wordt ontnomen om de angst voor hen weg te nemen [...] Samengevat: buiten het gemenebest heerst het rijk van hartstochten, oorlog, angst, armoede, slechtheid, eenzaamheid, barbaarsheid, onwetendheid, wreedheid; binnen het gemenebest heerst het rijk van rede, vreedzaamheid, veiligheid, rijkdom, pracht, gemeenschapszin, goede smaak, de natuurwetenschappen en welwillendheid.'[1]

Wat de hobbesiaanse oorsprongsmythe onvermeld laat, is dat de machtsoverdracht aan de staat onomkeerbaar is. We hebben geen mogelijkheid om van gedachte te veranderen, om te besluiten dat het monopolie op de machtsuitoefening van de staat, zoals vastgelegd in de wet, achteraf toch niet is wat we wilden, dat we liever zouden terugkeren tot een natuurlijke staat.

Wij worden geboren als onderdaan. Vanaf het moment van onze ge-

---

Mijn aanblik heeft haar misschien ook doen schrikken: een verfomfaaide oude man in een hoekje die op het eerste gezicht een zwerver van de straat had kunnen zijn. Hallo, zei ze koeltjes, en ging door met waar ze mee bezig was, het legen van twee witte canvastassen in een bovenlader, tassen waarin mannenondergoed de overhand leek te hebben.

Mooie dag, zei ik. Ja, zei ze, met haar rug naar me toe. Bent u nieuw? vroeg ik, bedoelend of ze nieuw was in Sydenham Towers, al waren andere bedoelingen ook mogelijk. *Bent u nieuw op deze aarde?* bijvoorbeeld. Nee, zei ze. Wat knarst dat, een gesprek op gang brengen. Ik woon op de begane

boorte zijn we onderdaan. Eén kenmerk van dit onderdaanschap is de geboorteakte. De vervolmaakte staat bezit en bewaakt het monopolie op het certificeren van de geboorte. Of je ontvangt de akte van de staat (en draagt die bij je), waarmee je een *identiteit* verkrijgt die het de staat voor de duur van je leven mogelijk maakt je te identificeren en te traceren (op te sporen); of je stelt het zonder identiteit en veroordeelt jezelf tot een leven buiten de staat zoals een dier (dieren hebben geen identiteitsbewijs).

Niet alleen word je zonder akte niet tot de staat toegelaten: je bent, in de ogen van de staat, pas dood wanneer er een overlijdensakte is opgemaakt; en die overlijdensakte kan alleen maar worden opgemaakt door een ambtenaar die daartoe van staatswege bevoegd is. De staat maakt de overlijdensakte met buitengewone zorgvuldigheid op – getuige de zending van een leger van forensische wetenschappers en bureaucraten voor het nauwkeurig onderzoeken en fotograferen van en porren en prikken in de berg menselijke lijken die werd achtergelaten door de grote tsunami van december 2004 om hun afzonderlijke identiteit vast te stellen. Kosten noch moeite worden gespaard om ervoor te zorgen dat de telling van onderdanen volledig en accuraat is.

Of de burger leeft of doodgaat, is voor de staat niet van belang. Wat voor de staat en zijn archieven telt, is of de burger in leven is of dood.

•

Seven Samurai is een film die zijn medium volledig beheerst maar naïef genoeg is om elementaire zaken op een eenvoudige en directe manier te behandelen. Hij behandelt met name de geboorte van de staat en doet dat met shakespeareaanse helderheid en bondigheid. Wat *Seven Samurai* in

---

grond, zei ik. Ik mag zulke openingszetten doen, ze zullen als praatzucht worden afgedaan. Zo'n praatzieke oude man, zal ze tegen de eigenaar van het roze overhemd met het witte boordje zeggen, ik had heel wat moeite om van hem af te komen, je wilt niet grof zijn. Ik woon op de begane grond en doe dat al sinds 1995 en ik ken nog steeds al mijn buren niet, zei ik. Ja, zei ze, en verder niets, bedoelend: *Ja, ik hoor wat u zegt en ik ben het met u eens, het is tragisch om niet te weten wie je buren zijn, maar zo gaat dat in de grote stad en ik heb nu andere dingen aan mijn hoofd, dus kunnen we de huidige uitwisseling van aardigheidjes een natuurlijke dood laten sterven?*

feite biedt, is niets minder dan de theorie van Kurosawa over de oorsprong van de staat.

Het verhaal dat de film vertelt, gaat over een dorp gedurende een periode van politieke verwarring – een periode waarin de staat in feite heeft opgehouden te bestaan – en over de relaties van de dorpelingen met een troep gewapende bandieten. Nadat ze jarenlang als een storm over het dorp zijn neergedaald, de vrouwen hebben verkracht, de mannen die zich verzetten hebben vermoord en opgeslagen voedselvoorraden hebben meegenomen, komen de bandieten op het idee om hun bezoeken te systematiseren, om het dorp nog maar eenmaal per jaar aan te doen voor het opleggen of afpersen van een schatting (belasting). Dat wil zeggen, de bandieten houden op plunderaars van het dorp te zijn en worden in plaats daarvan parasieten.

Men veronderstelt dat de bandieten nog meer van zulke 'gepacificeerde' dorpen onder de duim houden, dat ze daar bij toerbeurt over neerdalen, dat zulke dorpen gezamenlijk de belastinggrondslag voor de bandieten vormen. Hoogstwaarschijnlijk moeten ze de controle over specifieke dorpen op rivaliserende bendes bevechten, al zien we daar niets van in de film.

De bandieten zijn nog niet te midden van hun onderdanen gaan leven om zich door hen in hun dagelijkse behoeften te laten voorzien – dat wil zeggen, ze hebben de dorpelingen nog niet tot slaaf gemaakt. Daarmee legt Kurosawa een heel vroeg stadium in de groei van de staat aan ons voor.

De belangrijkste handeling van de film begint wanneer de dorpelingen het plan opvatten om een eigen bende van geharde mannen in de arm te nemen, de zeven werkloze samoerai uit de titel, om hen te beschermen tegen de bandieten. Het plan werkt, de bandieten worden verslagen (schermutselingen en gevechten vormen het hoofdbestanddeel van de film), de

---

Ze heeft pikzwart haar, welgevormde botten. Iets van een gouden glans op haar huid, *geglaceerd* zou het woord kunnen zijn. Wat het felrode hemdjurkje betreft, dat is misschien niet het kledingstuk dat ze zou hebben gekozen als ze vreemd mannelijk gezelschap in de wasserette had verwacht om elf uur 's ochtends op een doordeweekse dag. Rood hemdjurkje en gevalletjes met bandjes. Gevalletjes met bandjes voor aan de voeten.

Terwijl ik naar haar keek, bekroop me een pijn, een metafysische pijn, die ik op geen enkele manier probeerde te onderdrukken. En intuïtief had zij het door, wist ze dat er zich in de oude man op de plastic stoel in de

samoerai zegevieren. Vervolgens doen de samoerai, de nieuwe parasieten, die hebben gezien hoe het systeem van bescherming en afpersing werkt, de dorpelingen een aanbod: zij zullen, tegen een zekere prijs, het dorp onder hun hoede nemen, dat wil zeggen, de plaats van de bandieten innemen. Maar de burgers weigeren, in een einde dat door nogal vrome hoop lijkt te zijn ingegeven: ze verzoeken de samoerai om weg te gaan, en de samoerai gehoorzamen.

Het verhaal van Kurosawa over de oorsprong van de staat is in onze tijd nog steeds aan de orde van de dag in Afrika, waar bendes gewapende mannen de macht grijpen – dat wil zeggen, de nationale schatkist en de mechanismen voor het belasten van de bevolking annexeren – zich van hun concurrenten ontdoen en Jaar Een uitroepen. Hoewel deze Afrikaanse militaire bendes vaak niet groter of machtiger zijn dan de georganiseerde misdadigersbendes in Azië of Oost-Europa, wordt van hun activiteiten door de media – zelfs de westerse media – eerbiedig verslag gedaan onder de kop 'politiek' (wereldnieuws), in plaats van 'misdaad'.

Ook uit Europa kunnen voorbeelden van de geboorte of wedergeboorte van de staat worden geciteerd. In het machtsvacuüm dat ontstond na de nederlaag van de legers van het *Dritte Reich* in 1944/45 haastten rivaliserende gewapende bendes zich om de leiding van de pas bevrijde naties op zich te nemen; wie waar de macht greep, werd bepaald door wie op welk buitenlands leger kon rekenen voor steun.

Was er iemand die in 1944 tegen de Franse bevolking zei: *Denk eraan: de terugtrekking van onze Duitse overheersers houdt in dat we gedurende een kort moment door niemand geregeerd worden. Willen we een einde maken aan dat moment, of willen we het misschien laten voortduren – het eerste volk in de*

---

hoek iets persoonlijks voltrok, iets wat te maken had met leeftijd en spijt en 'de tranen der dingen'. Wat ze niet erg prettig vond, niet wilde oproepen, al was het een eerbetoon aan haar, zowel aan haar schoonheid en frisheid als aan de kortheid van haar jurkje. Was het van iemand anders afkomstig geweest, was het eenvoudiger en botter bedoeld geweest, dan had ze er misschien nog wel op in willen gaan; maar in het geval van een oude man was de bedoeling te diffuus en melancholiek voor een mooie dag waarop je snel klaar wilt zijn met je huishoudelijk werk.

moderne tijd worden dat de staat oprolt? Laten wij, als Fransen, onze nieuwe en plotselinge vrijheid gebruiken om onbelemmerd over deze kwestie te discussiëren. Misschien heeft een dichter die woorden gesproken; maar als hij dat deed, zal zijn stem onmiddellijk tot zwijgen zijn gebracht door de gewapende bendes, die in dit geval en in alle gevallen meer met elkaar gemeen hadden en hebben dan met het volk.

•

In de dagen van de koningen kreeg de onderdaan te horen: *Je was onderdaan van koning A, nu is koning A dood en zie, je bent onderdaan van koning B.* Toen kwam de democratie en werd de onderdaan voor het eerst voor een keus gesteld: *Wil je (collectief) door burger A worden geregeerd of door burger B?*

Altijd komt de onderdaan voor een voldongen feit te staan: in het eerste geval voor het feit van zijn onderdaanschap, in het tweede voor het feit van de keuze. De vorm van de keuze is niet voor discussie vatbaar. Het stembiljet vraagt niet: *Wilt u A of B of geen van beiden?* Het vraagt zeker nooit: *Wilt u A of B of helemaal niemand?* De burger die aan zijn onvrede over de geboden keuzevorm uiting geeft met het enige middel dat hem ten dienste staat – niet stemmen, of zijn stembiljet ongeldig maken – wordt eenvoudig niet meegeteld, dat wil zeggen, buiten beschouwing gelaten, genegeerd.

Worden zij geconfronteerd met de keus tussen A en B, dan zijn de meeste mensen, de meeste *gewone* mensen, gezien het soort A en B dat het stembiljet doorgaans weet te halen, in hun hart geneigd geen van beiden te kiezen. Maar dat is alleen maar een neiging, en de staat heeft geen boodschap aan neigingen. Neigingen zijn in de politiek niet gangbaar. Waar de staat boodschap aan heeft, zijn keuzes. De gewone burger zou willen zeggen: *Op sommige dagen neig ik naar A, op andere naar B, maar de meeste*

Het duurde een week voordat ik haar weer zag – in een goed ontworpen flatgebouw als dit valt het niet mee je buren te traceren – en dan alleen slechts vluchtig terwijl ze de voordeur doorging in een flits van witte lange broek die met een achterwerk pronkte dat van een haast engelachtige volmaaktheid was. God, laat me nog één wens doen voordat ik sterf, fluisterde ik; om daarna door schaamte te worden bevangen vanwege de specificiteit van de wens, en hem in te trekken.

Van Vinnie, die over de North Tower gaat, hoor ik dat zij – die ik zo ver-

dagen heb ik alleen maar het gevoel dat ze allebei weg moeten; of: *Een beetje van A en een beetje van B, af en toe, en soms A noch B maar iets heel anders.* De staat schudt zijn hoofd. *Je moet kiezen*, zegt de staat: *A of B.*

•

'Het verspreiden van democratie', zoals de Verenigde Staten dat nu in het Midden-Oosten doen, betekent het verspreiden van de democratische regels. Het betekent dat je tegen mensen zegt dat waar ze vroeger geen keus hadden, ze die nu wel hebben. Vroeger hadden ze A en alleen maar A; nu hebben ze de keus tussen A en B. 'Het verspreiden van vrijheid' betekent het scheppen van omstandigheden waarin mensen vrijelijk tussen A en B kunnen kiezen. Het verspreiden van vrijheid en het verspreiden van democratie gaan hand in hand. De mensen die zich bezighouden met het verspreiden van vrijheid en democratie zien niet in hoe ironisch de zojuist gegeven beschrijving van het proces is.

Tijdens de Koude Oorlog verklaarden de westerse democratieën het in de ban doen van hun communistische partijen met het argument dat een partij die tot doel zei te hebben het democratische proces te vernietigen geen deel mocht nemen aan dat democratische proces, dat gedefinieerd werd als de keus tussen A en B.

•

Waarom is het zo moeilijk om van buiten de politiek iets over politiek te zeggen? Waarom kan er geen discours over politiek bestaan dat niet zelf politiek is? Voor Aristoteles was het antwoord dat politiek is ingebakken in de menselijke aard, dat wil zeggen, onderdeel is van ons lot, zoals monarchie het lot van bijen is. Streven naar een systematisch, suprapolitiek discours over politiek is zinloos.

---

standig ben niet te beschrijven als *de jonge vrouw in het verleidelijk korte hemdjurkje en nu in de elegante witte broek*, maar als *de jonge vrouw met het donkere haar* – de vrouw of ten minste de vriendin is van de bleke, gehaaste, mollige en altijd zweterige man wiens pad zo nu en dan het mijne kruist in de hal en die ik voor mezelf meneer Aberdeen heb gedoopt; en verder dat zij niet nieuw is in de gebruikelijke zin van het woord, omdat ze (samen met meneer A) al sinds januari een penthouse bewoont op de bovenste verdieping van deze zelfde North Tower.

2. Over anarchisme

Wanneer in Australië de term *the bastards* wordt gebruikt, wordt van alle kanten begrepen op wie dat slaat. *The bastards* was ooit de term van de veroordeelde voor de mannen die meenden beter te zijn dan hij en hem afranselden als hij het daarmee niet eens was. Nu zijn *the bastards* de politici, de mannen en vrouwen die de staat leiden. Het probleem: hoe kan de legitimiteit van het oude perspectief worden verdedigd, het perspectief van onderaf, het perspectief van de veroordeelde, wanneer het in de aard van dat perspectief ligt om illegitiem te zijn, tégen de wet, tégen *the bastards*?

Verzet tegen *the bastards*, verzet tegen regering in het algemeen onder de vlag van libertarisme, heeft een slechte naam gekregen omdat het maar al te vaak wortelt in een afkeer van belasting betalen. Hoe men ook denkt over het betalen van een schatting aan *the bastards*, als eerste strategische stap dient men afstand te nemen van diezelfde libertaire trek. Hoe doe je dat? 'Neem de helft van wat ik bezit, neem de helft van wat ik verdien, ik sta het aan je af; laat me in ruil daarvoor met rust.' Zou dat genoeg zijn om te bewijzen dat je bonafide bent?

Michel de Montaignes jonge vriend Etienne de La Boétie zag in een geschrift uit 1549 de passieve houding van bevolkingen tegenover hun heersers als een aanvankelijk aangeleerde en vervolgens geërfde ondeugd, een obstinate 'wil om overheerst te worden' die zo diepgeworteld raakt 'dat zelfs de vrijheidsliefde op den duur niet meer zo natuurlijk lijkt'.

Dank je, zei ik tegen Vinnie. In een ideale wereld zou ik een manier hebben bedacht om hem verder uit te horen (Welk nummer? Onder welke naam?) zonder ongepast te lijken. Maar dit is geen ideale wereld.

Haar connectie met meneer Aberdeen, die ongetwijfeld sproeten op zijn rug heeft, is een grote teleurstelling. Het doet me pijn als ik hen beiden in gedachten naast elkaar zie, dat wil zeggen, naast elkaar in bed, want dat is waar het uiteindelijk om gaat. Niet alleen vanwege de belediging – de belediging van de natuurlijke rechtvaardigheid – dat zo'n sukkel er zo'n hemelse minnares op nahoudt, maar ook vanwege het vermoedelijke uiterlijk van de vrucht van hun vereniging, het wegvagen van haar gouden glans door zijn Keltische bleekheid.

Dagen zouden heen kunnen gaan met het bedenken van welgekozen

> Het is ongelooflijk om te zien hoe het volk, als het eenmaal geknecht is, zijn voormalige onafhankelijkheid ineens zo ten diepste kan vergeten dat het niet meer in staat is zichzelf wakker te schudden en haar te herwinnen; het toont zich zelfs zozeer bereid om zonder aansporing te dienen, zo vrijelijk, dat men op het eerste gezicht zou zeggen dat het niet zijn vrijheid heeft verloren maar zijn knechtschap heeft gewonnen. Het moge waar zijn dat men om te beginnen dient omdat men moet, omdat men daartoe met geweld wordt gedwongen; maar zij die later komen, dienen zonder spijt en verrichten uit vrije wil wat hun voorgangers onder dwang verrichtten. Zo kan het gebeuren dat mensen die onder het juk zijn geboren, in knechtschap grootgebracht, er genoegen mee nemen te blijven leven zoals ze geboren zijn [...] en de omstandigheden waaronder zij geboren zijn voor hun natuurlijke staat houden.[2]

Mooi gezegd. Toch heeft De La Boétie het in één belangrijk opzicht bij het verkeerde eind. De alternatieven zijn niet kalm knechtschap aan de ene kant en opstand tegen het knechtschap aan de andere. Er is een derde weg, die duizenden en miljoenen mensen dagelijks kiezen. Dat is de weg van het quiëtisme, van doelbewuste vaagheid, van innerlijke emigratie.

---

samenlopen van omstandigheden om het kortstondige contact in de wasserette elders te hervatten. Maar het leven is te kort om plots te bedenken. Dus laat ik volstaan met te zeggen dat de tweede kruising van onze paden plaatsvond in een openbaar park, het park aan de overkant van de straat, waar ik haar in het oog kreeg terwijl ze op haar gemak onder een buitensporig grote zonnehoed in een tijdschrift zat te bladeren. Ze was dit keer in een aimabeler stemming, minder kortaf tegen mij; ik wist door haar eigen lippen bevestigd te krijgen dat ze momenteel geen significante bezigheden had, of, zoals zij het uitdrukte, *tussen twee banen in zat*: vandaar de zonnehoed, vandaar het tijdschrift, vandaar de loomheid van haar dagen. Haar vorige betrekking, zei ze, was in de gezelschapsbranche geweest; ze zou te zijner tijd (maar er was geen haast bij) weer werk in diezelfde branche zoeken.

3. Over democratie

Het grootste probleem in het leven van de staat is het probleem van de opvolging: hoe kan ervoor worden gezorgd dat de macht zonder gewapende strijd van het ene paar handen in het volgende overgaat.

In behaaglijke tijden vergeten we hoe verschrikkelijk burgeroorlog is, hoe snel die kan ontaarden in stompzinnige slachting. René Girards fabel over de strijdende tweeling is hier van toepassing: hoe minder de wezenlijke verschillen tussen de twee partijen, des te bitterder hun wederzijdse haat. Men herinnere zich Daniel Defoes commentaar op de godsdiensttwisten in Engeland: dat volgelingen van de staatskerk de eed aflegden op hun afschuw van pausgezinden en papendom zonder te weten of de paus een man was of een paard.

De eerste oplossingen voor het opvolgingsprobleem hebben een duidelijk arbitrair karakter: zoals dat na de dood van de heerser zijn eerstgeboren mannelijke afstammeling de macht overneemt. Het voordeel van de oplossing van de eerstgeboren zoon is dat de eerstgeboren zoon uniek is; het nadeel is dat de eerstgeboren zoon in kwestie wellicht niet voor het regeren in de wieg is gelegd. De annalen van koninkrijken wemelen van de verhalen over onbekwame prinsen, om nog maar te zwijgen van koningen die geen zoons konden verwekken.

Vanuit een praktisch oogpunt maakt het niet uit hoe de opvolging geregeld wordt, zolang die het land maar niet in een burgeroorlog stort. Een opzet volgens welke er zich vele (al zijn het er gewoonlijk maar twee) kandidaten voor het leiderschap aan het volk presenteren en zich onderwerpen aan een stemming is maar een van de talloze oplossingen die een inventieve geest kan bedenken. Het is niet de opzet zelf die van belang is, maar de consensus om die opzet te accepteren en zich te schikken naar de uit-

---

Al die tijd dat ze deze nogal onsamenhangende informatie verschafte, knetterde de lucht om ons heen duidelijk door een elektrische lading die niet van mij afkomstig kon zijn, ik straal geen elektrische lading meer uit, en daarom van haar moest komen en op niemand in het bijzonder gericht was, gewoon maar op de omgeving losgelaten. De gezelschapsbranche, herhaalde ze, of anders misschien iets in de personeelssfeer, ze had ook enige ervaring in de personeelssfeer (wat dat ook mocht zijn); en weer trok

komst. Zo bezien is opvolging door de eerstgeborene op zichzelf niet beter of slechter dan opvolging door democratische uitverkiezing. Maar leven in democratische tijden betekent leven in tijden waarin alleen de democratische opzet gangbaar is en prestige geniet.

Zoals het in de tijd van de koningen naïef was om te denken dat de eerstgeboren zoon van de koning het meest geschikt zou zijn om te regeren, zo is het in onze tijd naïef om te denken dat de democratisch gekozen regeerder het meest geschikt zal zijn. De opvolgingsregel is geen formule om te bepalen wie de beste regeerder is, het is een formule om de een of de ander legitimiteit te verschaffen en daarmee een burgertwist te voorkomen. Het electoraat – de *demos* – gelooft dat het zijn taak is om de beste man te kiezen, maar in werkelijkheid is zijn taak veel eenvoudiger: om een man te zalven (*vox populi vox dei*), het doet er niet toe wie. Het tellen van de stemmen lijkt misschien een manier om te bepalen wie de ware (dat wil zeggen, de luidste) *vox populi* is; maar de kracht van de stemmentellingsformule is, net als de kracht van de formule van de eerstgeboren zoon, gelegen in het feit dat die objectief is, ondubbelzinnig, niet vatbaar voor politieke betwisting. Een muntje opgooien zou even objectief zijn, even ondubbelzinnig, even onbetwistbaar, en zou om die reden net zo goed aanspraak kunnen maken (zoals ook is gebeurd) op het vertegenwoordigen van de *vox dei*. Wij kiezen onze regeerders niet door een muntje op te gooien – muntjes opgooien wordt geassocieerd met gokken, dat laag in aanzien staat – maar wie zou durven beweren dat de wereld er slechter aan toe zou zijn dan nu als regeerders vanaf het begin der tijden door middel van het muntje waren gekozen?

Ik stel me voor, terwijl ik deze woorden schrijf, dat ik dit antidemocratische geval voorleg aan een sceptische lezer die mijn beweringen voortdurend zal toetsen aan de feitelijke situatie: strookt wat ik over democratie

---

de schaduw van de pijn over me heen, de pijn waarop ik eerder zinspeelde, van een metafysische of ten minste postfysieke soort.

Ondertussen, vervolgde ze, help ik Alan met rapporten en zo, zodat hij me kan opvoeren als secretariële assistentie.

Alan, zei ik.

Alan, zei ze, mijn partner. En ze wierp een blik op mij. Die blik zei niet: *Ja, ik ben in alle opzichten een getrouwde vrouw, dus als je de koers blijft volgen*

zeg met de feitelijke situatie in het democratische Australië, de democratische Verenigde Staten enzovoort? De lezer zou moeten bedenken dat er voor elk democratisch Australië twee Wit-Ruslanden of Tsjaads of Fiji's of Colombia's zijn die evenzeer de formule van het stemmen tellen aanhangen.

Australië is in de meeste opzichten een vooruitstrevende democratie. Het is ook een land waar cynisme over politiek en minachting voor politici welig tieren. Maar dit cynisme en deze minachting laten zich heel gemakkelijk inpassen in het systeem. Als je bedenkingen hebt tegen het systeem en het wilt veranderen, zo luidt het democratische argument, doe dat dan binnen het systeem: stel jezelf kandidaat voor een politiek ambt, onderwerp je aan de kritische blik en de stemming van medeburgers. Democratie staat geen politiek buiten het democratische systeem toe. In dit opzicht is democratie totalitair.

Als je de democratie ter discussie stelt in tijden waarin iedereen beweert met hart en ziel democraat te zijn, loop je het risico het contact met de werkelijkheid te verliezen. Om dat contact te herstellen, moet je jezelf er elk moment aan herinneren wat het betekent als je oog in oog komt te staan met de staat – de democratische staat of welke dan ook – in de persoon van de staatsambtenaar. Vraag je daarna af: Wie dient wie? Wie is de dienaar, wie de meester?

---

die je in gedachten hebt, zal er sprake zijn van heimelijk overspel, met alle risico's en opwinding van dien; niets daarvan, hij zei juist: *Je schijnt te denken dat ik een soort kind ben, moet ik je erop attenderen dat ik helemaal geen kind ben?*

Ik heb ook een secretaresse nodig, zei ik, de koe bij de hoorns vattend.

Ja? zei ze.

4. Over Machiavelli

Op de belradio hebben gewone mensen uit het publiek gebeld om te zeggen dat, hoewel ze toegeven dat marteling over het algemeen gesproken slecht is, je er soms gewoon niet aan ontkomt. Sommigen brengen zelfs naar voren dat we misschien kwaad moeten doen omwille van een groter goed. Over het algemeen doen ze laatdunkend over absolute tegenstanders van marteling: zulke mensen, zeggen ze, staan niet met beide voeten op de grond, leven niet in de echte wereld.

Machiavelli zegt dat als je als regeerder accepteert dat al je daden aan een moreel onderzoek worden onderworpen, je zonder mankeren verslagen zult worden door een tegenstander die zich niet aan zo'n morele test onderwerpt. Om de macht te behouden moet je niet alleen de kunst van bedrog en verraad beheersen, maar ook bereid zijn die waar nodig te gebruiken.

Noodzaak, *necessità*, is Machiavelli's leidende beginsel. Volgens de oude, pre-machiavellistische zienswijze was de morele wet oppermachtig. Gebeurde het soms dat de morele wet werd overtreden, dan was dat jammer, maar regeerders waren nu eenmaal mensen. De nieuwe, machiavellistische zienswijze is dat inbreuk op de morele wet gerechtvaardigd is als daartoe de noodzaak bestaat.

Daarmee wordt het dualisme in de moderne politieke cultuur ingeluid, dat er een tegelijkertijd absoluut en relatief normen- en waardestelsel op nahoudt. De moderne staat doet voor de ideologische grondslag van zijn bestaan een beroep op moraliteit, op religie en op de natuurwetten. Tezelfdertijd is hij uit zelfbehoud bereid om inbreuk te maken op één of elk daarvan.

Ja, zei ik, ik ben namelijk schrijver van beroep, en ik moet een belangrijke deadline halen, als gevolg waarvan ik iemand nodig heb om een manuscript voor me uit te typen en misschien ook wat redactie te doen en de hele zaak voor transport gereed te maken.

Van haar gezicht viel niets af te lezen.

Netjes en ordelijk en leesbaar, bedoel ik, zei ik.

Neem iemand van een bureau, zei ze. Er is een bureau in King Street waar Alans bedrijf naartoe gaat als er snel iets af moet.

Machiavelli ontkent niet dat de aanspraken die de moraliteit op ons doet absoluut zijn. *Tegelijkertijd* verklaart hij dat de regeerder in het belang van de staat 'vaak genoodzaakt is (*necessitato*) zonder loyaliteit, zonder genade, zonder menselijkheid en zonder religie op te treden.'[3]

Het soort mensen dat de belradio belt en het gebruik van marteling bij het verhoren van gevangenen rechtvaardigt, baseert zich in zijn denken precies op diezelfde dubbele norm: zonder de absolute aanspraken van de christelijke ethiek (heb uw naaste lief gelijk uzelve) ook maar enigszins te ontkennen, stemt zo iemand ermee in dat de autoriteiten – het leger, de geheime politie – de vrije hand krijgen om te doen wat zij noodzakelijk achten voor de bescherming van het publiek tegen vijanden van de staat.

De typische reactie van vooruitstrevende intellectuelen is om op de contradictie in dezen te wijzen: hoe kan iets zowel verkeerd als goed zijn, of op zijn minst zowel verkeerd als oké? Wat vooruitstrevende intellectuelen niet vermogen in te zien, is dat deze zogenaamde contradictie de kwintessens van het machiavellistische en daarom van het moderne denken belichaamt, een kwintessens waarvan de gewone man diep doordrongen is. De wereld wordt geregeerd door noodzaak, zegt de gewone man, niet door een of andere abstracte morele code. We moeten doen wat we moeten doen.

Als je de gewone man wilt tegenspreken, kan dat niet door je op morele principes te beroepen, en nog veel minder door te eisen dat mensen hun leven zodanig inrichten dat er geen contradictie bestaat tussen wat ze zeggen en wat ze doen. Het gewone leven is vol contradicties; gewone mensen zijn gewend om zich daarnaar te schikken. Je kunt beter de metafysische, supra-empirische status van de *necessità* aanvallen en aantonen dat die bedrieglijk is.

Ik wil niemand van een bureau, zei ik. Ik wil iemand die porties kan ophalen en me die snel weer terugbezorgt. Zo iemand zou ook gevoel, een intuïtief gevoel moeten hebben voor wat ik probeer te doen. Kan ik jou misschien voor dat werk interesseren, aangezien we toch bijna buren zijn en je, zoals je zegt, tussen twee banen in zit? Ik zal ervoor betalen, zei ik, en ik noemde een uurtarief dat haar, ook al was ze ooit de tsarina van de gezelschapsbranche geweest, tot nadenken moest stemmen. Omdat het zo dringend is, zei ik. Vanwege de dreigende deadline.

5. Over terrorisme

Het Australische parlement staat op het punt om wetgeving tegen het terrorisme aan te nemen waarvan het effect zal zijn dat een reeks burgerlijke vrijheden voor onbepaalde tijd naar de toekomst zal verschuiven. Het woord *hysterisch* is gebruikt om de reactie op terreuraanvallen te beschrijven van de kant van de regeringen van de Verenigde Staten, Groot-Brittannië en nu Australië. Dat is geen slecht woord, en bepaald beeldend, maar het legt niets uit. Waarom zouden onze regeerders, normaliter flegmatieke lieden, met plotselinge hysterie reageren op de speldenprikjes van het terrorisme wanneer ze decennialang in staat waren om ongestoord hun dagelijkse gang te gaan, zich er ten volle van bewust dat in een diepe bunker ergens in de Oeral een vijand toekeek en wachtte met de vinger op een knop, gereed om bij de geringste provocatie henzelf en hun steden van de aardbodem te vagen?

Eén mogelijke verklaring is dat de nieuwe vijand irrationeel is. De oude sovjetvijanden mochten dan sluw en zelfs duivels zijn geweest, irrationeel waren ze niet. Ze speelden het spel van de nucleaire diplomatie zoals ze schaakten: de zogenoemde nucleaire optie mocht dan onderdeel zijn van hun repertoire van zetten, de beslissing om die zet te doen zou uiteindelijk rationeel zijn (besluitvorming op basis van de waarschijnlijkheidstheorie geldt hier tenslotte als bij uitstek rationeel, al ligt gokken, het nemen van risico's, in de aard daarvan besloten), net als de beslissingen van het Westen. Daarom werd het spel aan beide kanten volgens dezelfde regels gespeeld.

Deze nieuwe wedstrijd, echter (zo vervolgt de uitleg), wordt niet volgens de regels van de rationaliteit gespeeld. De Russen maakten overleving (na-

---

Een intuïtief gevoel: dat waren mijn woorden. Het was een gok, een schot in het duister, maar het werkte. Welke zichzelf respecterende vrouw zou willen ontkennen dat ze een intuïtief gevoel bezit? Zo heeft het kunnen gebeuren dat mijn meningen, in al hun voorlopige en gereviseerde versies, nu de ogen en handen passeren van Anya (haar naam), van Alan en Anya, A & A, flat 2514, ook al heeft de Anya in kwestie nog nooit van haar leven maar een greintje redactiewerk gedaan en ook al heeft Bruno Geistler van Mittwoch Verlag GmbH mensen in zijn staf die perfect in staat zijn om

tionale overleving, wat in de politiek neerkomt op de overleving van de staat en in het internationale schaak op de mogelijkheid om door te blijven spelen) tot hun minst onderhandelbare eis. De islamistische terroristen, daarentegen, malen niet om overleving, noch op individueel niveau (dit leven is niets vergeleken bij het leven na de dood) noch op nationaal niveau (de islam is groter dan de natie; God zal niet toestaan dat de islam verslagen wordt). Evenmin hanteren zulke terroristen de rationalistische kosten-en batenanalyse: Gods vijanden een slag toebrengen is voldoende, de kosten van die slag, materieel of menselijk, zijn onbelangrijk.

Aldus luidt één verklaring voor de vraag waarom de 'oorlog tegen terreur' een ongebruikelijk soort oorlog is. Maar er bestaat ook een tweede verklaring, een die je minder vaak hoort, namelijk dat aangezien terroristen niet het equivalent van een vijandig leger zijn maar van een gewapende misdadigersbende die geen staat vertegenwoordigt en geen aanspraak maakt op een nationaal thuis, het conflict waarin zij ons betrekken categorisch verschilt van het conflict tussen staten en volgens een heel ander stelsel van regels moet worden gespeeld. 'Wij onderhandelen niet met terroristen, zoals we ook niet met misdadigers onderhandelen.'

De staat heeft altijd heel moeilijk gedaan over zijn onderhandelingspartners. Voor de staat zijn de enige contracten die gelden contracten met andere staten. Hoe degenen die over die staten regeren aan de macht zijn gekomen is van secundair belang. Is hij eenmaal 'erkend', dan wordt een regeerder van de tegenpartij als medespeler aangemerkt, als een deelnemer aan de competitie.

De geldende regels voor wie aan het oorlogsspel mag meedoen en wie niet zijn geboren uit eigenbelang, ontworpen door nationale regeringen,

---

Engelse dictafoonbandjes in een piekfijn Duits manuscript om te zetten.

Ik stond op. Ik laat je nu alleen, zei ik, zodat je verder kunt lezen. Als ik een hoed had gehad zou ik hem hebben gelicht, wat precies het geëigende ouderwetse gebaar voor de gelegenheid zou zijn geweest.

Ga nog niet weg, zei ze. Vertel me eerst eens, wat voor soort boek wordt het?

Wat ik bezig ben samen te stellen is strikt genomen geen boek, zei ik, maar een bijdrage aan een boek. Het boek zelf is het geesteskind van een uitgever in Duitsland. De titel zal *Uitgesproken meningen* luiden. Het plan

en zijn voor zover mij bekend in geen enkel geval ter goedkeuring voorgelegd aan de burgers. Zij definiëren in feite de diplomatie, inclusief het gebruik van militaire macht als uiterste diplomatieke maatregel, als een zaak die uitsluitend door regeringen onderling wordt geregeld. Inbreuk op deze metaregel wordt met buitengewone strengheid bestraft. Vandaar Guantánamo Bay, dat eerder een schouwspel is dan een krijgsgevangenenkamp: een afschuwelijke demonstratie van wat er kan gebeuren met mensen die zich niet aan de spelregels wensen te houden.

De nieuwe Australische wetgeving omvat een wet die het verbiedt zich in gunstige zin uit te laten over terrorisme. Het is een beperking van de vrijheid van meningsuiting en pretendeert niet iets anders te zijn.

Welk weldenkend mens zou een goed woord over hebben voor islamistische terroristen – voor starre, intolerante jongemannen die zichzelf opblazen op openbare plaatsen om mensen te doden die ze als vijanden van het geloof bestempelen? Niemand natuurlijk. Waarom ons dan druk maken over dit verbod, behalve in abstracte zin, als een abstracte inbreuk op de vrijheid van meningsuiting? Om twee redenen. Ten eerste omdat, hoewel het van grote hoogte bommen laten vallen op een slapend dorp net zo goed een terreurdaad is als zichzelf opblazen in een menigte, het volstrekt legaal is om een goed woord over te hebben voor luchtbombardementen (*Shock and Awe*, letterlijk 'schokken en ontzag inboezemen'). Ten tweede omdat de situatie van de zelfmoordterrorist niet van tragiek is ontbloot. Wie is zo hardvochtig dat hij geen enkel mededogen voelt voor de man die, nadat zijn gezin bij een Israëlische luchtaanval is omgekomen, de bommengordel omdoet in het volle besef dat hem geen paradijs vol hoeri's wacht en vertwijfeld van woede en verdriet op pad gaat om zoveel mogelijk

---

is om zes medewerkers uit diverse landen hun zegje te laten doen over willekeurige, door henzelf gekozen onderwerpen, hoe controversiëler hoe beter. Zes vooraanstaande schrijvers spreken zich uit over wat er mis is met de wereld van tegenwoordig. Het moet halverwege volgend jaar in Duitsland verschijnen. Vandaar de strakke deadline. De Franse rechten zijn al verkocht, maar de Engelse niet, voor zover ik weet.

En wat is er mis met de wereld van tegenwoordig? zei ze.

Ik kan nog niet zeggen wat er boven onze lijst zal komen te staan – ik bedoel de lijst die wij zessen gezamenlijk zullen opstellen – maar als je

moordenaars te vernietigen? *Geen andere weg dan de dood* is een typering en misschien zelfs een definitie van deze tragiek.

In de jaren negentig van de vorige eeuw, herinner ik me, publiceerde ik een bundel essays over censuur. Deze maakte weinig indruk. Eén recensent deed hem af als irrelevant voor het nieuwe tijdperk dat net gloorde, het tijdperk dat werd ingeluid door de slechting van de Berlijnse Muur en het uiteenvallen van de Sovjet-Unie. Nu de wereldwijde vooruitstrevende democratie voor de deur stond, zei hij, zou de staat geen reden hebben om in te grijpen in onze vrijheid om te schrijven en te spreken zoals we wilden; en trouwens, de nieuwe elektronische media zouden het sowieso onmogelijk maken om alle communicatie te bewaken en te controleren.

Welnu, wat zien we vandaag de dag, anno 2005? Niet alleen een herleving van ouderwetse beperkingen van de meest onverbloemde soort in de wetgeving op het gebied van de vrijheid van meningsuiting in de Verenigde Staten, het Verenigd Koninkrijk en nu Australië, maar ook toezicht (door schimmige instanties) op de wereldwijde telefonische en elektronische communicatie. Het is van begin tot eind een déjà vu.

Er mogen geen geheimen meer zijn, zeggen de nieuwe toezichttheoretici, en daarmee bedoelen ze iets heel interessants: dat de tijd waarin geheimen nog telden, waarin geheimen hun macht over het leven van mensen konden uitoefenen (denk aan de rol van geheimen bij Dickens, bij Henry James) voorbij is; niets wat het weten waard is kan niet binnen enkele seconden worden onthuld, en zonder veel moeite; het privéleven is in alle opzichten iets uit het verleden.

Wat frappant is aan zo'n bewering is niet zozeer de arrogantie ervan als wel wat er ongemerkt door wordt geopenbaard over de opvatting die in officiële kringen over geheimen leeft: dat een geheim een stukje informatie is

---

aandringt, vermoed ik dat we zullen zeggen dat de wereld onrechtvaardig is. Een onrechtvaardig bestel, een onrechtvaardige stand van zaken, dat is wat we zullen zeggen. Hier zijn we, zes éminences grises die zich een weg naar de hoogste piek hebben geklauwd, en wat merken we nu we de top hebben bereikt? We merken dat we te oud en te zwak zijn om van de ware vrucht van onze triomf te genieten. *Is dit alles?* zeggen we bij onszelf, terwijl we de wereld van genietingen overzien waaraan we geen deel kunnen hebben. *Was het al dat zweten waard?*

en als zodanig onder de vleugels van de informatiekunde valt, waarvan één tak *data mining* is, het extraheren van flinters informatie (geheimen) uit tonnen gegevens.

De meesters van de informatie zijn de poëzie vergeten, waar woorden een heel andere betekenis kunnen hebben dan het lexicon zegt, waar de metaforische vonk de decodeerfunctie altijd één sprong voor is, waar een andere, onvoorziene lezing altijd mogelijk is.

Dat is wat ik bij die gelegenheid tegen Anya zei. Wat ik niet vermeldde, omdat het me niet tot eer strekte, was dat toen Bruno zijn voorstel deed ik maar al te graag toehapte. Ja, dat wil ik doen, zei ik; ja, ik zal het tijdig af hebben. Een kans om in het openbaar te mopperen, een kans om magische wraak op de wereld te nemen omdat ze zich niet aan mijn fantasieën wensten aan te passen: hoe kon ik zoiets weigeren?

•

6. Over geleidingssystemen

Er waren tijden gedurende de Koude Oorlog dat de Russen qua wapentechnologie zo ver achterliepen op de Amerikanen dat als het tot een totale kernoorlog was gekomen ze volledig vernietigd zouden zijn zonder dat ze veel terug hadden kunnen doen. Tijdens zulke periodes was het *wederzijds* in *Wederzijds Verzekerde Vernietiging* in feite een fictie.

Deze verstoringen van het evenwicht traden op omdat de Amerikanen van tijd tot tijd grote sprongen voorwaarts maakten op het gebied van telemetrie, navigatie en geleidingssystemen. De Russen mochten dan over krachtige raketten en talrijke kernkoppen beschikken, hun vermogen om die accuraat naar hun doel te geleiden deed altijd sterk onder voor dat van de Amerikanen.

Desondanks hebben de Russen nooit gedreigd om piloten in te zetten die zich vrijwillig hadden aangemeld om vliegtuigen met kernbommen op Amerikaanse doelen te laten neerstorten en daarbij hun leven op te offeren. Misschien zijn er wel zulke vrijwilligers geweest; maar de Russen hebben nooit verklaard dat ze die achter de hand hielden of dat ze hun oorlogsplannen op zelfmoordtactieken baseerden.

Als typiste op zich stelt Anya van boven enigszins teleur. Ze haalt haar dagelijkse quota's, daar niet van, maar de betrokkenheid waarop ik had gehoopt, het gevoel voor het soort dingen dat ik schrijf, is nauwelijks aanwezig. Soms staar ik vertwijfeld naar de tekst die ze inlevert. Volgens Daniel Defoe, lees ik, heeft de rasechte Engelsman een hekel aan 'paas-

---

Als ik hem passeer, met de wasmand in mijn armen, zorg ik ervoor dat ik wiegel met mijn achterwerk, met mijn verrukkelijke achterwerk, omsloten door strakke spijkerstof. Als ik een man was, zou ik mijn ogen niet van mezelf af kunnen houden. Alan zegt dat er net zoveel verschillende konten op de wereld zijn als gezichten. Spiegeltje spiegeltje aan de wand, zeg ik tegen Alan, wie heeft de schoonste van het land? Jij, mijn prinses, mijn koningin, jij, daarover is geen twijfel mogelijk.

Hij schrijft alleen maar over politiek – hij, El Señor, niet Alan. Het is een grote teleurstelling. Ik moet ervan gapen. Ik probeer hem duidelijk te

Tijdens hun latere ruimteavonturen getroostten beide kanten zich grote moeite om de astronauten of kosmonauten die ze naar de ruimte lanceerden behouden op aarde te laten terugkeren, ook al waren er zeker vrijwilligers te vinden geweest die hun leven veil hadden ter meerdere eer en glorie van het vaderland (geen van beide kanten had er bezwaar tegen om muizen, honden of apen op zelfmoordmissie te sturen). De Russen hadden best al vóór 1969 kosmonauten op de maan kunnen laten landen, als ze bereid waren geweest hen na het planten van de vlag een langzame dood te laten sterven.

Deze houding tegenover het opofferen van mensenlevens is merkwaardig. Militaire bevelhebbers zien er geen been in om manschappen de strijd in te sturen in de zekere wetenschap dat ze bij bosjes zullen sneuvelen. Soldaten die niet aan het bevel gehoorzamen en weigeren aan de strijd deel te nemen, worden gestraft, of zelfs geëxecuteerd. Aan de andere kant dicteert het ethos van de officier dat het onaanvaardbaar is om individuele soldaten uit te kiezen en hen te bevelen hun leven op te offeren, bijvoorbeeld door zich met explosieven omhangen te midden van de vijand te begeven en zichzelf op te blazen. Toch worden – wat nog paradoxaler is – soldaten die zoiets op eigen initiatief doen behandeld als helden.

---

gezangen en papenkoppen'. De generaals van Breznjev zitten 'overal en nergens'.

Ik typ wat ik hoor en haal het daarna door de spellingcontrole, luidt de verklaring die ze geeft. Misschien zit de spellingcontrole er soms naast, maar het is beter dan ernaar te raden.

---

maken dat hij daarmee moet stoppen, de mensen hebben het helemaal gehad met politiek. Er is geen gebrek aan andere dingen om over te schrijven. Hij zou over cricket kunnen schrijven, bijvoorbeeld – zijn persoonlijke kijk erop kunnen geven. Ik weet dat hij naar cricket kijkt. Als we 's avonds laat thuiskomen, Alan en ik, zit hij daar, onderuitgezakt voor de televisie, je kunt hem zien vanaf de straat, hij doet nooit de jaloezieën dicht.

Ik ben zelf ook niet vies van cricket, als het niet te lang duurt. Het is leuk om een witte broek strak om jongemannenbillen te zien spannen.

Tegenover de Japanse kamikazepiloten uit de Tweede Wereldoorlog heeft het Westen altijd een wat ambivalent standpunt ingenomen. Deze jongemannen waren beslist moedig, luidt de conventionele opvatting; desondanks kunnen ze niet als echte helden worden aangemerkt omdat ze, ook al hebben ze hun leven opgeofferd en zich in zekere zin zelfs vrijwillig aangemeld om hun leven op te offeren, psychologisch waren ingebed in een militair en nationaal ethos dat aan het individuele leven weinig waarde hechtte. Zich vrijwillig aanmelden voor zelfmoordmissies was zodoende eerder een soort culturele reflex dan een authentieke, autonome, in vrijheid genomen beslissing. Het heldendom van kamikazepiloten was niet authentieker dan dat van bijen die instinctief hun leven geven voor de bescherming van de korf.

Op diezelfde manier werd in Vietnam de bereidheid van Vietnamese opstandelingen om gigantische verliezen te accepteren bij frontale aanvallen op hun Amerikaanse vijanden niet aan individuele heroïek toegeschreven, maar aan oosters fatalisme. Wat hun bevelhebbers betreft, hun bereidheid om het bevel tot zulke aanvallen te geven bewees hun cynische onverschilligheid jegens de waarde van een mensenleven.

De spellingcontrole kan niet zelfstandig denken, zei ik. Als je bereid bent je leven in handen van de spellingcontrole te geven, kun je net zo goed dobbelstenen gooien.

We hebben het niet over het leven, zei ze. We hebben het over typen.

Wat een paar zouden we zijn, Andrew Flintoff en ik, flanerend over straat, wiegelend met ons achterwerk. Hij is jonger dan ik, Andrew Flintoff, maar hij heeft al een vrouw en kindertjes. Vrouwtje zal wel ongemakkelijk dromen als hij op tournee gaat, dromen over mannie die bezwijkt voor de verlokkingen van iemand zoals ik, pittig, opwindend, exotisch.

De ogen van El Señor zijn niet zo best, volgens hemzelf. Toch voel ik hoe ze me niet loslaten als ik mijn zijdezachte bewegingen maak. Dat is het spel tussen hem en mij. Ik vind het niet erg. Waar is je achterwerk anders voor? Neem het te baat anders is het te laat.

Als ik niet met wasmanden zeul ben ik zijn *segretaria*, parttime. Ook, af en toe, zijn hulp in de huishouding. Eerst werd ik alleen geacht zijn segre-

Toen de eerste zelfmoordaanslagen plaatsvonden in Israël, was er in het Westen aanvankelijk misschien sprake van enige morele ambivalentie. Jezelf opblazen is tenslotte moediger ('vereist meer lef') dan een tikkende bom op een drukke plaats achterlaten en weglopen. Maar die ambivalentie verdampte al snel. Omdat plegers van zelfmoordaanslagen hun leven opofferen voor boosaardige doeleinden, zo was het argument nu, konden ze nooit echte helden zijn. Bovendien offerden ze, omdat ze niet echt waarde aan hun leven hechtten (ze geloofden dat ze in een oogwenk naar het paradijs zouden worden overgebracht), in zekere zin helemaal niets op.

Ooit waren er oorlogen (de Trojaanse oorlog, bijvoorbeeld, of meer recent de Boerenoorlog) waarin dappere daden van de kant van de vijand herkend, erkend en herinnerd werden. Dat hoofdstuk in de geschiedenis lijkt gesloten. In de tegenwoordige oorlogen wordt niet geaccepteerd, zelfs niet in principe, dat er helden onder de vijand kunnen zijn. Plegers van zelfmoordaanslagen in het Israëlisch-Palestijnse conflict of in het bezette Irak staan in het Westen lager in aanzien dan gewone guerrillastrijders: waar van de guerrillastrijder tenminste nog kan worden gezegd dat hij een soort martiale krachtmeting aangaat, vecht de pleger van een zelfmoordaanslag

---

We hebben het over spelling. Waarom moet het Engels eigenlijk goed gespeld worden als het toch in het Duits wordt vertaald?

Ik houd mijn mond. Van kritiek raakt ze duidelijk ontstemd. Laat maar, zeg ik, het wordt allemaal wel makkelijker.

---

taria te zijn, zijn secretaresse, zijn enge fee, of eigenlijk zelfs dat niet, alleen zijn typiste, zijn *tipitista*, zijn tiktiktikia. Hij dicteert grote gedachten in zijn apparaat, geeft dan de bandjes aan mij, plus een stapel papieren met zijn halfblinde gekrabbel, de moeilijke woorden in zorgvuldige blokletters geschreven. Ik neem de bandjes mee en beluister ze via mijn koptelefoon en typ ze plechtig uit. Kalefater ze ook hier en daar op waar ik kan, waar ze een bepaald iets missen, een bepaalde charme, al wordt hij geacht de grote schrijver te zijn en ik alleen maar de kleine Filippijnse.

Segretaria. Het klinkt als een cocktail uit Haïti; rum met ananassap en stierenbloed, geschud met ijsschilfers en met een paar hanenballen erbovenop.

– als al gezegd kan worden dat hij vecht – op een smerige manier.

Je zou voor iedereen die de dood boven schande verkiest een zeker respect willen bewaren, maar in het geval van islamistische plegers van zelfmoordaanslagen valt dat respect niet makkelijk op te brengen als je ziet met hoevelen ze zijn, en (via een logische stap die lelijk kan uitpakken, die misschien alleen maar uiting geeft aan het oude westerse vooroordeel tegen de massamentaliteit van de Ander) hoe weinig waarde ze daarom kennelijk aan het leven hechten. In zo'n dilemma kan het misschien helpen als je zelfmoordaanslagen als een reactie beschouwt, een wat wanhopige reactie, op de Amerikaanse (en Israëlische) vorderingen op het gebied van de geleidingstechnologie, die de capaciteiten van hun tegenstanders ver te boven gaan. In de Verenigde Staten zijn bedrijven momenteel bezig om in opdracht van Defensie het slagveld van een vorstelijke toekomst in het leven te roepen waar Amerikaanse manschappen niet langer lijfelijk aanwezig hoeven te zijn, waar dood en verderf onder de (menselijke) vijand kan worden gezaaid door robotsoldaten die elektronisch worden aangestuurd door technici op een slagschip honderd kilometer uit de buurt of zelfs in een controlekamer in het Pentagon. Hoe kun je tegenover zo'n vijand anders je eer redden dan door op een wanhopige en extravagante manier je leven te vergooien?

Ze pruilt. Ik had meer een verhaal verwacht, zegt ze. Het is moeilijk om erin te komen als het onderwerp de hele tijd verandert.

Eigenlijk heeft hij helemaal geen segretaria of zelfs maar een tipista nodig, hij zou zijn gedachten best zelf uit kunnen typen, ze verkopen toetsenborden met supergrote toetsen voor mensen zoals hij. Maar hij houdt niet van typen (heeft er een 'onoverkomelijke hekel' aan, zoals hij het uitdrukt), hij knijpt liever in de pen om te voelen hoe de woorden er aan de andere kant uit komen. Niets mooiers dan het gevoel van woorden die ter wereld komen, zegt hij, dat is genoeg om je te doen huiveren. Ik richt me op, trek een pruimenmondje. Zulke dingen mag u niet tegen een leuk meisje zeggen, Señor, zeg ik. En ik draai me om en loop weg met wiegelende kont, zijn ogen begerig op me gericht.

7. Over Al-Qaida

Op televisie gisteren een BBC-documentaire waarin werd betoogd dat de regering van de VS er om eigen redenen voor kiest de mythe in stand te houden dat Al-Qaida een machtige geheime terroristische organisatie is met cellen over de hele wereld, terwijl Al-Qaida in werkelijkheid min of meer vernietigd is en wat we vandaag de dag zien terreuraanvallen zijn door autonome groepen van moslimradicalen.

Ik twijfel er niet aan dat de belangrijkste beweringen van de documentaire waar zijn: dat 'islamterrorisme' geen centraal gecontroleerde en geleide samenzwering is; en dat de regering van de VS, misschien met opzet, de gevaren voor het publiek overdrijft. Als er inderdaad een duivelse organisatie bestond met handlangers over de hele wereld, erop gericht om de westerse bevolking te demoraliseren en de westerse beschaving te vernietigen, dan zou die inmiddels vast en zeker overal ter wereld de watervoorziening hebben vergiftigd, of verkeersvliegtuigen hebben neergeschoten, of schadelijke bacteriën hebben verspreid – terroristische handelingen die gemakkelijk te realiseren zijn.

Omdat ik moeilijk kan verwachten dat ze mijn handschrift kan lezen, spreek ik de dagelijkse productie in op een dictafoonbandje en geef haar zowel het bandje als het manuscript om mee aan de gang te gaan. Het is een methode die ik al eerder heb gebruikt, er is geen reden waarom het niet zou werken, al valt niet te ontkennen dat mijn handschrift achteruitgaat. Ik verlies mijn motoriek. Dat heeft met mijn conditie te maken. Dat heeft te maken met wat er met me gebeurt. Er zijn dagen dat ik tuur naar

---

Ik heb het van de eenden afgekeken, denk ik; even schudden met de staart, zo kwikzilverachtig dat het bijna een rilling lijkt. Kwik-kwak. Waarom zouden we te arrogant zijn om van eenden te leren?

Waar kom je vandaan? wilde hij weten op die eerste dag in de wasserette waar het allemaal begon. Nou, van boven, beste meneer, zei ik. Dat bedoel ik niet, zei hij. Waar ben je geboren? Waarom wilt u dat weten? antwoordde ik. Zijn mijn ogen niet blond en mijn haren niet blauw genoeg naar uw smaak?

Onderdeel van het televisieprogramma was het verhaal van vier jonge Amerikaanse moslims die terechtstonden voor het beramen van een aanslag op Disneyland. Gedurende het proces presenteerde de officier van justitie een in hun flat gevonden video-opname als bewijs tegen hen. De video was uitermate amateuristisch. Hij bevatte een langdurige opname van een vuilnisbak en van de voeten van de filmer terwijl deze liep. De officier stelde dat het amateurisme geveinsd was, dat we hier getuige waren van een verkenningsmiddel: de vuilnisbak was een potentiële plek om een bom te verstoppen, de lopende voeten maten de afstand van A naar B.

De ratio die de officier voor deze paranoïde interpretatie aanvoerde, was dat juist het amateuristische karakter van de video reden voor verdenking was, aangezien, waar het Al-Qaida betreft, niets is wat het lijkt.

Waar hebben officieren van justitie op zo'n manier leren denken? Het antwoord: tijdens literatuurcolleges in de Verenigde Staten van de jaren

---

wat ik net geschreven heb, nauwelijks in staat om het zelf te ontcijferen.

Zo gaan we voort op deze met fouten bezaaide weg. 'Een italische identiteit verkrijgen.' Waar ziet ze me voor aan – Aeneas? 'Onderdaan schap.' De staatsburgers die keurig op schappen zijn gelegd. Surrealistische beelden. Misschien is dat het beeld dat ze van een schrijver heeft: je raaskalt in een microfoon, zegt het eerste wat in je hoofd opkomt; daarna overhandig je de hele mikmak aan een meisje, of aan een of ander aleatorisch apparaat, en wacht af wat ze ervan brouwen.

Ik informeer zo terloops mogelijk wat voor werk ze heeft gedaan, wat

---

Met boven bedoelde ik niet veel, behalve dat we een flat op vijfentwintig hoog hebben, vijfentwintig verdiepingen boven hem, met een zonneterras en uitzicht op de haven, als je je ogen toeknijpt. Dus zijn hij en ik een soort buren, verre buren, El Señor en La Segretaria.

U moet de jaloezieën niet openlaten als het donker is, waarschuw ik hem, onbekenden zullen zien wat u aan het doen bent. Wat zou ik in vredesnaam aan het doen kunnen zijn dat onbekenden zou interesseren? zegt hij. Dat weet ik niet, zeg ik, mensen doen soms heel rare dingen. Nou, antwoordt hij, ze zullen er gauw genoeg van krijgen om naar me te kijken, ik ben geen ander mens dan zij. Onzin, zeg ik, we zijn allemaal

tachtig en negentig van de vorige eeuw, waar ze leerden dat in de kritiek achterdocht de belangrijkste deugd is, dat de criticus niets maar dan ook niets voor zoete koek mag aannemen. Aan hun blootstelling aan de literaire theorie hielden deze niet al te snuggere afgestudeerden aan de zich in haar postmoderne fase bevindende academie van geesteswetenschappen een pakket analytische instrumenten over waarvan ze vagelijk het idee hadden dat ze nog weleens van nut zouden kunnen zijn buiten de collegezaal, en een intuïtief gevoel dat het vermogen om aan te voeren dat niets is wat het lijkt je misschien kan helpen om hogerop te komen. Het hun ter hand stellen van deze instrumenten was het *trahison des clercs* van onze tijd. 'Jij hebt me de taal geleerd, en de baat die ik erbij heb is dat ik kan vloeken.'

'gezelschapsbranche' en 'personeelssfeer' feitelijk betekenen. Is dat uw manier om te vragen of ik een typediploma heb? antwoordt ze. Diploma's zullen me een zorg zijn, zeg ik, ik probeer alleen een beeld te krijgen. Ik heb van alles gedaan, antwoordt ze, te veel om op te noemen, ik heb er geen lijst van bijgehouden. Maar wat houdt te veel om op te noemen in? dring ik aan. Oké, antwoordt ze, wat dacht u hiervan: in juni en juli heb ik als receptioniste gewerkt. Tijdelijk. In een meisjeshuis. Ik staar haar aan. Een meisjeshuis, herhaalt ze met een stalen gezicht: u weet wel, waar je voor de meisjes komt.

---

anders, op subtiele manieren, we zijn geen mieren, we zijn geen schapen. Daarom gluren we door de jaloezieën als de jaloezieën openstaan: om die subtiele manieren te zien. Dat is doodnormaal.

Kurosawa. *Seven Samurai.* Dat John Howard en de Liberals weer op-en-top de zeven samoerai zijn. Wie zal dat geloven? Ik weet nog dat ik *Seven Samurai* in Taiwan heb gezien, in het Japans met Chinese ondertitels. De meeste tijd wist ik niet wat er gebeurde. Het enige beeld dat me is bijgebleven is van de lange naakte dijen van die gekke man met dat knotje. Gepantserde schenen, naakte dijen, blote billen: wat een mode hadden ze in die tijd! Een meisje zou er wild van worden.

8. Over universiteiten

Het is altijd een beetje een leugen geweest dat universiteiten zichzelf besturende instellingen zouden zijn. Desondanks was het behoorlijk beschamend wat universiteiten gedurende de jaren tachtig en negentig van de vorige eeuw meemaakten, toen ze zich op straffe van een korting op hun budget moesten laten welgevallen dat ze in commerciële ondernemingen werden veranderd, waar hoogleraren die tot dusver in soevereine vrijheid hun onderzoek hadden gedaan tot gewone werknemers werden getransformeerd die door het toeziend oog van professionele managers voortdurend werden bestookt om hun quota's te halen. Of de oude bevoegdheden van het professoraat ooit nog hersteld zullen worden valt zeer te betwijfelen.

In de tijd dat Polen door communisten werd geregeerd waren er dissidenten die thuis avondcolleges gaven, die werkgroepen leidden over schrijvers en filosofen die van de officiële canon waren uitgesloten (zoals Plato). Er kwam geen geld aan te pas, al waren er misschien andere vormen van betaling. Wil de geest van de universiteit overleven, dan zal er misschien

---

Een meisjeshuis. Ik zie haar al bij de receptie van een meisjeshuis zitten. Neemt u plaats, doe of u thuis bent. Ursula komt er zo aan, of wilt u liever Tiffany?

En vóór het meisjeshuis? blijf ik volhouden.

Schrijf over cricket, stel ik voor. Schrijf uw memoires. Wat u maar wilt, behalve over politiek. Uw manier van schrijven past niet bij politiek. Politiek gaat over andere mensen uitkafferen en je eigen zin doordrijven, niet over logica. Schrijf over de wereld om u heen. Schrijf over de vogels. Er loopt altijd een meute eksters door het park te pronken alsof het van hen is, daar zou hij over kunnen schrijven. Ksst, monsters! zeg ik, maar natuurlijk slaan ze daar geen acht op. Geen voorhoofd, de schedel gaat rechtstreeks in de snavel over, geen ruimte voor hersenen.

Van wat hij over politiek zegt val ik in slaap. Politiek is overal om ons heen, het is net als lucht, net als vervuiling. Tegen vervuiling kun je niets

iets in deze trant moeten ontstaan in landen waar het tertiair onderwijs volstrekt ondergeschikt is gemaakt aan commerciële principes. Met andere woorden, de echte universiteit zal misschien naar de mensen thuis moeten verhuizen en titels moeten verlenen die uitsluitend zijn gebaseerd op de namen van de geleerden die de diploma's ondertekenen.

Als u een cv had gewild, had u daar in het begin om moeten vragen, zegt ze. In plaats van me aan te nemen op grond van mijn uiterlijk. Wilt u er nu meteen mee stoppen? Mij best. Dan kunt u iemand anders zoeken die aan uw hoge eisen voldoet. Of naar een bureau gaan, zoals ik meteen al voorstelde.

---

doen. Je kan het maar het beste negeren, of er gewoon aan wennen, je aanpassen.

Alan komt de kamer binnen terwijl ik zit te typen. Wat ben je nou aan het doen? zegt hij. Typen voor de oude man, zeg ik. Waar gaat het over? zegt hij. Samoerai, zeg ik. Hij komt naar me toe en leest mee over mijn schouder. Geboorteaktes voor dieren, zegt hij – is hij gek geworden? Wil hij ze allemaal een naam geven? Clifford John Rat. Susan Annabel Rat. Waarom niet gelijk ook overlijdensaktes, als hij toch bezig is? Wanneer kom je naar bed?

9. Over Guantánamo Bay

Iemand zou een ballet moeten maken met de titel *Guantánamo, Guantánamo!* Een korps gevangenen, hun enkels aaneengeketend, hun handen in dikke vilten wanten, een mof over hun oren, een zwarte kap over hun hoofd, doet de dans der vervolgden en wanhopigen. Om hen heen paraderen bewakers in olijfgroene uniformen met demonische energie en opgewektheid, veeprikker en gummiknuppel in de aanslag. Ze raken de gevangenen aan met de prikstok en de gevangenen springen; ze werken gevangenen tegen de grond en steken de knuppel in hun anus en de gevangenen krimpen van de pijn. In een hoek schrijft een man op stelten met een Donald Rumsfeld-masker beurtelings aan zijn lessenaar en danst met extatische sprongetjes.

Op een dag zal het gedaan worden, zij het niet door mij. Het wordt misschien zelfs een hit in Londen en Berlijn en New York. Het zal absoluut geen effect hebben op de mensen voor wie het bedoeld is, wie het een rotzorg zal zijn wat balletpubliek van hen vindt.

Toe, zeg ik. Vat het niet verkeerd op.

Wat moet ik niet verkeerd opvatten? Dat ik te horen krijg dat ik niet kan typen?

Natuurlijk kun je wel typen. Ik weet dat dit werk beneden je waardigheid is, dat spijt me, maar laten we gewoon volhouden, laten we gewoon doorgaan.

Drie jaar samen en nog steeds geilt Alan op me, zo erg zelfs dat ik soms denk dat hij uit elkaar barst. Hij vindt het fijn als ik over mijn exen praat als hij bezig is. En toen? zegt hij. En toen? En toen? Toen liet hij me hem in mijn mond nemen, zeg ik. Deze mond? zegt hij. Deze lippen? En geeft me krankzinnige, razende kussen. Ja, deze lippen, zeg ik, mezelf lang genoeg van zijn kussen lostrekkend om te kunnen praten, en hij barst.

Allemaal leugens, natuurlijk. Ik verzin ze om hem op te winden. Wat je me daar vertelde, zegt hij na afloop – dat zijn toch allemaal leugens? Allemaal leugens, zeg ik, en ik glimlach geheimzinnig naar hem. Laat een man altijd in het onzekere.

10. Over nationale schaamte

Uit een artikel in een recente *New Yorker* blijkt glashelder dat de regering van de VS, onder aanvoering van Richard Cheney, niet alleen het martelen goedkeurt van mensen die tijdens de zogenoemde antiterreuroorlog zijn gevangengenomen, maar ook op alle mogelijke manieren actief is in het ondermijnen van wetten en conventies die marteling verbieden. We kunnen dus met recht spreken van een regering die, hoewel ze legaal is in de zin dat ze legaal is gekozen, illegaal of antilegaal is in de zin dat ze buiten de grenzen van de wet opereert, de wet ontwijkt en de strekking van de wet dwarsboomt.

De schaamteloosheid van haar leden is uitzonderlijk. Hun ontkenningen zijn minder dan halfslachtig. Het verschil dat de door hen ingehuurde juristen maken tussen marteling en dwang is overduidelijk huichelachtig, *pro forma*. In het nieuwe bestel dat wij hebben gecreëerd, zeggen ze impliciet, is de oude macht van de schaamte afgeschaft. Hoe groot je walging ook is, die haalt niets uit. Je kunt ons niet raken, we zijn te machtig.

Demosthenes: Waar de slaaf slechts pijn vreest, vreest de vrije mens vooral schande. Als we aannemen dat wat de *New Yorker* schrijft waar is, dan komen individuele Amerikanen voor een morele vraag te staan: Hoe gedraag ik mij tegenover de schande die mij wordt aangedaan? Hoe red ik mijn eer?

Zo doe ik mijn best om haar te vermurwen. *Goddank ben ik meneer Aberdeen niet*, denk ik, *die met deze lichtgeraakte jonge vrouw is getrouwd.* Maar dat is natuurlijk onzin. Ik zou er mijn rechterhand voor overhebben om meneer Aberdeen te zijn.

•

En die oude man, zegt hij – hij heeft toch niets bij je geprobeerd, hè? Of hij een wip met me heeft gemaakt, bedoel je? zeg ik. Nee, hij heeft geen wip met me gemaakt. Heeft het niet geprobeerd. Maar stel dat hij dat wel had gedaan? Wat zou je dan doen? Naar beneden gaan en hem een dreun geven? Dan kom je in de krant. Maak je jezelf belachelijk. Bekende schrijver krijgt opdoffer van jaloerse geliefde.

Zelfmoord zou de eer redden, en misschien hebben er in Amerika al eerzelfmoorden plaatsgevonden waarvan we niets te horen krijgen. Maar hoe zit het met politieke actie? Zal politieke actie – geen gewapend verzet maar actie binnen de grondregels van het democratische bestel (petities laten rondgaan, bijeenkomsten organiseren, brieven schrijven) – volstaan?

Schande maakt geen subtiel onderscheid. Schande daalt op je schouders neer en laat zich, na eenmaal te zijn neergedaald, door geen enkel scherpzinnig pleidooi meer verdrijven. In het huidige klimaat van opgeklopte angst, en bij ontstentenis van een massale volksafkeer van marteling, is het onwaarschijnlijk dat politieke acties door individuele burgers enig praktisch effect zullen sorteren. Toch zullen zulke acties, wanneer ze hardnekkig en in een geest van verontwaardiging worden volgehouden, mensen ten minste in staat stellen met opgeheven hoofd door het leven te gaan. Louter symbolische acties, aan de andere kant – de vlag verbranden, hardop de woorden 'ik gruw van de leiders van mijn land en distantieer me van hen' uitspreken – zullen zeker niet voldoende zijn.

Onmogelijk te geloven dat in sommige Amerikaanse harten de aanblik van de eer van hun land die door het slijk wordt gehaald geen moordzuch-

---

Denkt u dat ik modellenwerk zou kunnen doen? zegt ze, volkomen onverwachts.

Ze is in mijn flat. Ze heeft net het typewerk voor die dag afgeleverd; ze is op weg naar buiten, maar blijft om de een of andere reden dralen. Ze zet haar handen in haar zij, gooit haar haar achterover, werpt een uitdagende blik op mij.

Hij heeft niets geprobeerd terwijl ik bij hem was, maar wat hij uitvoert als ik de deur uit ben is een ander verhaal. Alleen God is getuige van wat hij dan uitvoert, God en de heilige maagd en het koor van heiligen. Hij heeft een slipje van mij uit de droger gepikt, dat weet ik zeker. Ik denk dat hij zijn gulp openknoopt als ik weg ben en zich in mijn ondergoed wikkelt en zijn ogen dichtdoet en visioenen oproept van mijn goddelijke achterwerk en zichzelf klaarmaakt. En dan knoopt hij zijn gulp weer dicht en gaat verder over John Howard en George Bush, wat een boeven dat zijn.

Dat bedoelde ik met de jaloezieën openlaten en mensen laten schrikken.

tige gedachten oproept. Onmogelijk te geloven dat nog niemand een complot heeft beraamd om deze hooggeplaatste misdadigers te vermoorden. Is er misschien al een Stauffenberg-complot geweest, dat ergens in de toekomst aan het licht zal komen?

In elk geval moeten niet alleen gewetensvolle Amerikanen maar ook individuele westerlingen in het algemeen zich ten doel stellen om, zonder dat er veel kans bestaat op een politieke ommekeer, manieren te bedenken om hun eer te redden, wat tot op zekere hoogte hetzelfde is als je zelfrespect bewaren, maar ook een kwestie van niet met vuile handen voor de rechtbank van de geschiedenis te hoeven verschijnen.

Het oordeel van de geschiedenis is duidelijk een kwestie die eveneens door het hoofd van de Amerikaanse regering speelt. De geschiedenis zal over ons oordelen op basis van onze staat van dienst, zeggen ze in het openbaar; en over die staat van dienst, zo brengen ze zichzelf stilletjes in herinnering, hebben we een ongeëvenaarde mate van controle. Laat van onze ergste misdaden geen spoor na, noch op schrift noch fysiek. Laat de archieven versnipperen, de diskettes vernietigen, de lichamen verbranden, de as verspreiden.

Over Richard Nixon doen ze geringschattend. Nixon was een amateur, zeggen ze. Nixon nam een loopje met de veiligheid. Op hun prioriteitenlijst staat veiligheid – waarmee ze geheimzinnigheid bedoelen – op de eerste, tweede en derde plaats.

Modellenwerk, zeg ik; ze zoeken over het algemeen langere meisjes als model. Langer en jonger. Je zou moeten concurreren met broodmagere zestienjarigen.

Alan stemt op Howard. Wat mezelf betreft, ik dacht dat ik dat niet zou doen, bij de verkiezingen van 2004, maar toen puntje bij paaltje kwam deed ik het toch. Beter de duivel die je kent dan de duivel die je niet kent, zei ik bij mezelf. Ze zeggen je dat je drie jaar hebt om een keus te maken, van de ene verkiezing tot de volgende, maar dat is niet waar. Je wacht altijd tot de laatste seconde voordat je je keus maakt. Het is net als met Alan, toen hij de vraag stelde. Zullen we? zei hij. Ik had geen ja hoeven zeggen, ik had nee kunnen zeggen. Maar ik deed het niet. En nu wonen we samen, meneer Hooiberg en mevrouw Naald, dikke mik.

Wat hun ergste daden zijn, zullen we nooit weten: dat zullen we voor lief moeten nemen. Om het ergste te weten moeten we extrapoleren en de verbeelding gebruiken. Het ergste is waarschijnlijk alles waartoe we hen in staat achten (in staat om te bevelen, in staat om een oogje voor dicht te knijpen); en datgene waartoe ze in staat zijn, is overduidelijk alles.

Er is vooralsnog geen bewijs dat Australiërs aan feitelijke gruweldaden hebben deelgenomen. Of de Amerikanen hebben geen druk op hen uitgeoefend om mee te doen, of er is wel druk uitgeoefend maar ze hebben die weerstaan. Eén Australische inlichtingenofficier, een man genaamd Rod Barton, die gespecialiseerd is in de natuurwetenschappen en heeft deelgenomen aan het verhoor van Irakese wetenschappers, heeft de gelederen verbroken, zijn verhaal openbaar gemaakt en vervolgens, wat hem bijzonder siert, ontslag genomen uit de dienst.

De Australische regering, daarentegen, heeft zich het verachtelijkste lid betoond van de zogenoemde 'Coalition of the Willing', de 'Coalitie der bereidwilligen', en is zelfs bereid geweest om met niet meer dan een benepen glimlachje het vernederende feit te accepteren dat ze daar niets voor in ruil kreeg. Tijdens onderhandelingen met de Verenigde Staten over bilaterale handelsvoorwaarden heeft ze bij haar pleidooien voor concessies, gezien haar trouwe samenwerking in Irak en elders, nul op het rekest gekregen. Ze heeft gehoorzaam gezwegen over David Hicks, de jonge Australische

---

Ik had het niet over dat soort modellenwerk, zegt ze. Wat voor modellenwerk dan? zeg ik. Als fotomodel, zegt ze. Ze trekt een pruilmondje,

---

Zullen we of zullen we niet? zei Alan die avond in Ronaldo's. Zal ik of zal ik niet? zei ik bij mezelf. Iene miene mutte. Zo werd Howard gekozen. Niet zo tutten. Bange haas. Oeps. Tien pond grutten, tien pond kaas.

Zoals ik al zei, zijn ogen zijn niet zo best meer, die van El Señor. 'Mijn gezichtsvermogen gaat achteruit, en de rest ook, maar vooral mijn gezichtsvermogen.' Daarom heeft hij het over woorden uit zijn pen knijpen. De beschreven vellen die hij me geeft hebben geen nut, geen praktisch nut. Hij vormt zijn letters best duidelijk, m'en en n'en en u's en w's incluis, maar als hij een hele passage moet schrijven kan hij de regel niet recht houden, hij gaat omlaag als een vliegtuig dat een neusduik in

moslim die door de Amerikanen gevangen is gezet in Guantánamo Bay. Zijn benarde toestand heeft bij sommige ministers van het kabinet zelfs wraakgevoelens opgeroepen, een morele laaghartigheid Donald Rumsfeld of Bush junior zelf waardig.

Maar hoewel het medeplichtig is geweest aan Amerikaanse misdaden, gaat het te ver om te zeggen dat Australië tot hetzelfde antiwettelijke of buitenwettelijke gedrag is vervallen als Amerika. Die stand van zaken kan spoedig veranderen. In de nieuwe controlebevoegdheden die de Australische regering zichzelf momenteel toekent, valt een vergelijkbare minachting voor het recht te bespeuren. Dit zijn bijzondere tijden, zo luidt de mantra, en bijzondere tijden vereisen bijzondere maatregelen. Australië heeft misschien aan een klein zetje voldoende om naar dezelfde situatie af te glijden als Amerika, waar op basis van beschuldigingen van informanten ('bronnen') mensen simpelweg uit de maatschappij verdwijnen, of men hen laat verdwijnen, en het publiek maken van hun verdwijning als een misdaad op zich geldt.

Is eerloosheid een toestand waarvoor schakeringen en maten bestaan? Als er een toestand van ernstige eerloosheid is, is er dan ook een toestand van gematigder eerloosheid, eerloosheid light? Het is verleidelijk om nee te zeggen: als je eerloos bent, ben je eerloos. Maar als ik vandaag zou horen dat een Amerikaan liever zelfmoord had gepleegd dan in schande te leven,

---

kronkelt met haar heupen. U weet wel, zegt ze. Zou u geen foto van me willen? U zou hem op uw bureau kunnen zetten.

---

zee maakt of een bariton die buiten adem raakt. Nooit omhoog, altijd omlaag.

Slechte ogen, om van de tanden nog maar te zwijgen. Als ik hem was liet ik het hele zaakje trekken en me een mooi nieuw kunstgebit aanmeten. Geen vrouw zou zulke tanden pikken, ze zou hem een-twee-drie, klik-klak-klak naar de tandarts bonjouren. Laat wat aan die tanden van je doen of ik ben weg. Hij is ooit getrouwd geweest. Dat weet ik omdat ik het hem heb gevraagd. Zeg, Señor C, zei ik, bent u nooit getrouwd geweest? Ja, ik ben getrouwd geweest, antwoordde hij. Ik wachtte op meer: hoeveel kinderen, wanneer zijn vrouw was doodgegaan als ze was doodgegaan,

zou ik dat volledig begrijpen; terwijl een Australiër die zelfmoord pleegde als reactie op de daden van de regering-Howard het risico zou lopen enigszins komisch over te komen. De Amerikaanse regering heeft wraakzucht tot een duivels niveau verheven, terwijl de laaghartigheid van de Australiërs vooralsnog alleen maar kleinzielig is.

De generatie van blanke Zuid-Afrikanen waartoe ik behoor, en de volgende generatie, en misschien ook de generatie daarna, zal gebukt gaan onder de schaamte voor de misdaden die in hun naam zijn bedreven. Degenen onder hen die hun persoonlijke trots proberen te redden door pertinent niet te willen buigen voor het oordeel van de wereld, kampen met een brandende wrok, een laaiende woede over het feit dat ze zijn veroordeeld zonder naar behoren gehoord te zijn, wat in fysieke termen misschien een even zware last zal blijken. Zulke mensen zouden het een en ander van de Engelsen kunnen leren over het omgaan met collectieve schuld. De Engelsen hebben zich simpelweg onafhankelijk verklaard van hun imperialistische voorvaderen. Het Britse rijk is al lang geleden afgeschaft, zeggen ze, dus waarvoor zouden we ons verantwoordelijk moeten voelen? En trouwens, degenen die het Britse rijk bestuurden waren victorianen, strenge, stijve mensen in donkere kleren, heel anders dan wij.

Een paar dagen geleden hoorde ik een uitvoering van de vijfde symfonie van Sibelius. Bij het naderen van de laatste tonen ervoer ik precies die gro-

---

Is de ruzie van gisteren vergeten – vergeven en vergeten? Misschien. Of misschien herinnert ze het zich niet als een ruzie. Misschien schoot het alleen maar even over haar bewustzijn als een zuchtje wind over water.

Omdat elk woord dat ze zegt charmant is, staat het haar vrij om alles te

---

waaraan ze was doodgegaan, dat soort dingen. Maar daar bleef het bij: *Ja, ik ben getrouwd geweest,* alsof ik daaruit moest begrijpen: *Ja, ik ben getrouwd geweest en het beviel me niet en ik wil het er niet over hebben.*

Alan is ook getrouwd geweest, zei ik uit mezelf. Heb ik u dat verteld? Hij heeft zijn vrouw verlaten voor mij. Heeft hem een hoop geld gekost.

Ik moet er uit mezelf over beginnen omdat hij nooit wat vraagt, nooit meer sinds hij naar mijn achtergrond heeft gevraagd. *Waar kom je vandaan?* vroeg hij die eerste dag, en ik antwoordde: *Nou, van boven, beste*

te, aanzwellende emotie die de muziek bedoelde op te roepen. Hoe zou het zijn geweest, vroeg ik me af, om als Fin tot het publiek tijdens de eerste uitvoering van die symfonie in Helsinki te hebben behoord, bijna een eeuw geleden, en door datzelfde aanzwellende gevoel overmand te zijn geworden? Het antwoord: je zou trots zijn geweest, trots dat een *van ons* zulke klanken kon samenstellen, trots dat wij mensen zulke dingen kunnen maken vanuit het niets. Stel dat eens tegenover de gevoelens van schaamte over het feit dat *wij, onze mensen,* Guantánamo hebben gemaakt. Muzikale schepping aan de ene kant, een instrument voor het toebrengen van pijn en vernedering aan de andere: het beste en het slechtste waartoe mensen in staat zijn.

---

zeggen wat in haar hoofd opkomt. Evenzo staat het haar vrij om, aangezien alles wat ze doet blijkbaar schattig is, te doen wat ze maar wil. De manier van denken van een verwend kind. Het probleem is dat ze geen kind meer is. Je houdt er een wat nare smaak aan over.

•

---

meneer. Dat vond hij niet leuk. Te brutaal. Een hoop lege flessen in zijn keuken, die ik niet geacht word te zien. En kakkerlakken. Laat zien hoe lang geleden de vrouw al moet zijn doodgegaan of weggelopen. Haastje-repje langs de plinten als ze denken dat je niet kijkt. Overal kruimels, zelfs op zijn bureau. Een kakkerlakkenparadijs. Geen wonder dat hij zulke slechte tanden heeft. Knisper-knisper krabbel-krabbel praat-praat. Weg met de Liberals. Wat Hobbes zei. Wat Machiavelli zei. Gááp.

11. Over de banvloek

In een boek over religie in de Griekse oudheid, een essay van ene Versnel uit Leiden over bepaalde beschreven loodtabletten die in tempels in de antieke wereld zijn opgegraven. Aangezien het typerende van deze tabletten is dat ze de hulp van een god inroepen om een kwaad dat een verzoeker is aangedaan recht te zetten, noemt Versnel ze 'banvloektabletten'.

Uit Memphis, vierde eeuw voor Christus, een banvloektablet (in het Grieks) die is achtergelaten in de tempel van Oserapis: 'O heer Oserapis en gij goden die tezamen met Oserapis troont, tot u richt ik een gebed, ik, Artemisia [...] tegen de vader van mijn dochter, die haar van haar doodsgeschenken (?) en van haar lijkkist heeft beroofd [...] Precies zoals hij mij en mijn kinderen onrecht heeft gedaan, zo moeten Oserapis en de goden ervoor zorgen dat hij niet begraven zal worden door zijn kinderen en dat hijzelf zijn ouders niet zal kunnen begraven. Moge hij zo lang als mijn beschuldiging tegen hem hier ligt, ellendig te gronde gaan, te land of ter zee [...]'[4]

Er moeten vandaag de dag overal ter wereld mensen zijn die, omdat ze weigeren aan te nemen dat er geen rechtvaardigheid in het universum be-

---

Ik vraag haar naar Alan, naar wat hij doet. Alan is beleggingsadviseur, zegt ze. Is hij zelfstandig? vraag ik. Hij zit in een maatschap, zegt ze, maar hij is behoorlijk zelfstandig, alle partners zijn behoorlijk zelfstandig, zo'n soort maatschap is het. Zou Alan bereid zijn mij over beleggingen te

---

Meestal hebben ze een foto van de man of vrouw in de slaapkamer, in de bloei van zijn/haar jeugd. Of een trouwfoto, het gelukkige paar. En dan de kinderen na elkaar op een rijtje. Maar in zijn slaapkamer niks van dat al. Aan de muur een ingelijste perkamentrol in een vreemde taal (Latijn?) met zijn naam in kunstige letters met een heleboel tierelantijnen en een groot rood waszegel in de hoek. Zijn referenties? Zijn diploma? De vergunning die hem toestaat zijn vak uit te oefenen? Ik wist niet dat je een vergunning nodig had om je vak als schrijver uit te oefenen. Ik dacht dat het gewoon iets was wat je deed als je wist hoe het moest.

Mevrouw Saunders zegt dat hij uit Colombia komt, maar ze blijkt het mis te hebben, hij komt helemaal niet uit Zuid-Amerika.

staat, de hulp van hun goden inroepen tegen Amerika, een Amerika dat zichzelf buiten het bereik van de wet der naties heeft verklaard. Ook al reageren de goden niet vandaag of morgen, houden de verzoekers zichzelf voor, misschien dat ze een generatie of twee verderop alsnog tot actie zullen worden aangezet. Zo wordt hun smeekbede in feite een banvloek: laat de herinnering aan het kwaad dat ons is aangedaan niet vervagen, laat de kwaaddoener in toekomstige generaties met straf worden bezocht.

Dit is in belangrijke mate het grondthema van William Faulkner: de diefstal van het land van de indianen of de verkrachting van slavenvrouwen komt in onvoorziene vorm terug, generaties later, om de onderdrukker te achtervolgen. Terugkijkend schudt de erfgenaam van de banvloek meesmuilend zijn hoofd: *We dachten dat ze machteloos waren,* zegt hij, *daarom deden we wat we deden; nu merken we dat ze helemaal niet machteloos zijn.*

'Tragische schuld,' schrijft Jean-Pierre Vernant, 'krijgt vorm in de voortdurende botsing tussen de antieke religieuze opvatting van de wandaad als een bezoedeling die een heel volk aankleeft en onontkoombaar van de ene generatie op de volgende wordt overgedragen [...] en de nieuwe, in de wet opgenomen opvatting volgens welke de schuldige als een individu wordt

---

adviseren? informeer ik. Ze aarzelt. Ik zal het hem vragen, zegt ze; maar normaal gesproken werkt hij niet graag voor vrienden. Ik ben geen vriend, zeg ik, alleen maar iemand die toevallig beneden woont; maar laat maar zitten, ik was gewoon nieuwsgierig. Hoe lang zit Alan al in die maatschap?

Ik heb me er nooit toe verplicht, toen ik de baan aannam, om de flessen weg te brengen en de badkamer aan kant te maken en tegen de kakkerlakken te spuiten. Maar je kunt een man niet in zo'n smeerboel laten wonen. Het is een belediging. Een belediging voor wie? Voor bezoek. Voor de ouders die hem op de wereld hebben gezet. Voor het fatsoen.

Alan wil weten hoeveel geld hij heeft. Hoe moet ik dat nou weten, zeg ik, hij praat tegen mij niet over financiën. Kijk in zijn lades, zegt Alan. Kijk in de keukenkastjes. Zoek naar een schoenendoos: daarmee kan je hem in zijn kaart kijken, hij is het soort dat zijn geld in een schoenendoos bewaart. Bijeengebonden met een touwtje? zeg ik. Een touwtje of een elastiekje, zegt Alan. Alan merkt nooit wanneer ik hem voor de gek houd. Zo'n oen.

aangemerkt dat, niet handelend onder dwang, opzettelijk heeft verkozen een misdaad te begaan.'[5]

Het drama dat voor onze ogen wordt opgevoerd is dat van een machthebber, George W. Bush (of Bush een pion in de handen van anderen zal blijken te zijn geweest is hier niet relevant), wiens hybris gelegen is in het ontkennen van de kracht van de banvloek die op hem rust en van banvloeken in het algemeen; die zelfs nog verder gaat door te verklaren dat hij geen misdaad kan begaan, aangezien hij degene is die de wetten maakt waardoor misdaden worden gedefinieerd.

Met de schanddaden die hij en zijn dienaren plegen, met name de

---

Zeven jaar. Hij is een van de oprichters.

En hoe lang zijn jij en hij getrouwd?

We zijn niet getrouwd. Ik dacht dat ik u dat had verteld. We doen er niet moeilijk over. Ik bedoel, wat de mensen ook denken – dat we getrouwd zijn, dat we niet getrouwd zijn – we laten het maar zo.

Wat doe ik als ik die schoenendoos vind? zeg ik. Pak het geld, zet de doos terug waar je hem gevonden hebt, zegt hij. En dan? zeg ik. En dan, als hij de politie belt? Oké, wacht tot ze hem naar het lijkenhuis afvoeren en pak dan het geld, zegt Alan, de doos en het geld, voordat de aasgieren komen. Wat voor aasgieren? zeg ik. De familie, zegt Alan.

Alan heeft het helemaal mis, maar ik controleer toch maar de kastjes, voor het geval dat – de badkamerkastjes, de keukenkastjes, alle lades in de slaapkamer. In een eenzame schoenendoos een schoenpoetsset: borstels met uitvallende haren, schoenpoets die al jaren geleden is aangekoekt.

Hij heeft vast een kluis, zegt Alan. Kijk achter de schilderijen aan de muur. Of die is in de bank, zeg ik, waar normale mensen hun geld bewaren. Hij is niet normaal, zegt Alan. Natuurlijk is hij niet normaal, niet bovennatuurlijk normaal, zeg ik, maar hoe normaal moet je zijn om je geld bij een bank te bewaren? En wat geeft ons trouwens het recht om zijn geld te stelen? Het is geen stelen, zegt Alan, niet als hij dood is. Hoe dan ook, als wij het niet nemen, doet iemand anders het wel. Is het geen stelen als hij dood is? zeg ik. Dat is nieuw voor mij. Doe niet zo irritant, je weet best wat ik bedoel, zegt Alan.

schanddaad van marteling, en met zijn aanmatigende bewering dat hij boven de wet staat, daagt Bush junior de goden uit en zorgt hij er door de schaamteloosheid van die uitdaging zelf voor dat de goden de kinderen en kleinkinderen van zijn huis met straf zullen bezoeken.

Het geval is niet uniek, zelfs niet in onze tijd. Jonge Duitsers protesteren: *Wij hebben geen bloed aan onze handen, dus waarom worden we voor racisten en moordenaars aangezien?* Het antwoord: *Omdat jullie de pech hebben de kleinkinderen van jullie grootouders te zijn; omdat er een banvloek op jullie rust.*

De banvloek ontstaat op het moment dat de machthebber pauzeert en bij zichzelf zegt: *Mensen zeggen dat, als ik dit doe, ikzelf en mijn huis vervloekt zullen worden – zal ik doorgaan?* En zichzelf dan antwoordt: *Ach wat! Goden bestaan niet, er is niet zoiets als een banvloek!*

De goddeloze roept een banvloek over zijn afstammelingen af; zijn afstammelingen vervloeken op hun beurt zijn naam.

Dus jullie hebben geen plannen om kinderen te krijgen.

Nee. Alan wil geen kinderen.

Integendeel, ik heb geen flauw idee wat Alan bedoelt. Vanwaar die obsessie van hem met de oude man en zijn geld? Je kunt niet zeggen dat hij zelf ook geen scheppen geld verdient. Maar iets in het hele verhaal zit hem dwars, alsof de oude man een Spaans galjoen is dat in de hoge golven ten onder gaat met een ruim vol goud uit Brits-Indië, dat voor eeuwig verloren zou gaan als hij, Alan, er niet in dook om het te redden.

Alan heeft hem opgezocht op het internet. Zo ben ik erachter gekomen dat hij niet uit Colombia komt, helemaal geen Señor is. Geboren in Zuid-Afrika in 1934, stond er. Romanschrijver en criticus. Lange lijst titels en data. Niets over een vrouw. Bella Saunders zweert dat hij uit Zuid-Amerika komt, zei ik. Weet je wel zeker dat je de juiste man hebt? Alan liet een foto op het scherm verschijnen. Is dat hem niet? En hij was het inderdaad, al moet de foto jaren geleden zijn genomen, toen hij er best aardig uitzag voor een man, niet alleen maar schedel en botten.

Mag ik een aanmerking maken? zei ik gisteren toen ik hem zijn typewerk bracht. Uw Engels is heel goed, alles bij elkaar genomen, maar we zeggen geen belradio, dat slaat nergens op, we zeggen praatradio.

12. Over pedofilie

De huidige hysterie over seksuele handelingen met kinderen – niet alleen zulke handelingen op zichzelf maar fictieve afbeeldingen ervan in de vorm van zogenoemde 'kinderporno' – geeft aanleiding tot enkele vreemde tegenstrijdigheden. Toen Stanley Kubrick dertig jaar geleden *Lolita* verfilmde, omzeilde hij het – in die dagen nog betrekkelijk lichte – taboe door een actrice te nemen van wie iedereen wist dat ze geen kind was en die er slechts met moeite in een veranderd kon worden. Maar in het huidige klimaat zou die list niet werken: het feit (het fictieve feit, het idee) dat het fictionele personage een kind is, zou het gegeven aftroeven dat het beeld op het doek niet dat van een kind is. Wanneer het om seks met minderjarigen gaat, is de wet, met daarachter de blaffende publieke opinie, eenvoudig niet in de stemming voor subtiel onderscheid.

Er bestaat een onschuldige, een zuiver sociabele, een zelfs routineuze manier om de kinderkwestie aan te snijden. Op het moment dat ik het eerste woord uitspreek, het woord *Dus*, kan mijn nieuwsgierigheid niet onschuldiger zijn. Maar tussen *Dus* en het tweede woord *jullie* word ik onderschept door de duivel, die me een beeld stuurt van deze Anya op een zweterige zomernacht, stuiptrekkend in de armen van roodharige,

---

Alles bij elkaar genomen? zei hij. Hoezo, alles bij elkaar genomen?

Als je bedenkt dat het uw moedertaal niet is.

Moedertaal, zei hij. Wat betekent dat, moedertaal?

Dat betekent de taal die je op de knie van je moeder hebt geleerd, zei ik.

Dat weet ik, zei hij. Het is jouw beeldspraakkeuze waarbij ik vraagtekens zet. Moet ik taal hebben geleerd op de knie van een vrouw? Moet ik die hebben gedronken uit een vrouwenborst?

Dit is een berisping, zei ik. Aanvaard alstublieft de nederige excuses van dit onwaardige wezen.

Hij staarde me indringend aan. Waar zeg ik belradio? zei hij.

Ik wees de plek aan. Hij tuurde, tuurde opnieuw, kraste het woord *bel* door en schreef in de kantlijn, met potlood, zorgvuldig het woord *praat*. Zo, zei hij, is dat beter?

Hoe heeft het huidige klimaat zich in vredesnaam kunnen ontwikkelen? Totdat de feministes in de tweede helft van de twintigste eeuw het strijdperk betraden, hadden deugdzaam gezinde censors de ene nederlaag na de andere geleden en waren ze overal in het defensief gedrongen. Maar wat pornografie betreft verkoos het feminisme, in andere opzichten een progressieve beweging, het bed te delen met de religieuze conservatieven en raakte alles in de war. Zo heeft vandaag de dag, terwijl aan de ene kant de publieke media straffeloos de weg wijzen naar steeds grovere vormen van seksueel vertoon, aan de andere kant het esthetische argument dat kunst taboe aftroeft (kunst 'transformeert' haar materiaal, zuivert het van zijn lelijkheid) en dat de kunstenaar daarom boven de wet moet staan, er ongenadig van langs gekregen. Op enkele duidelijk gedefinieerde gebieden is het taboe als overwinnaar uit de bus gekomen: niet alleen zijn bepaalde afbeeldingen, met name van seks met minderjarigen, verboden en staan er

---

sproetig geschouderde Alan en blijmoedig haar baarmoeder openend voor de stroom van zijn mannelijke sappen. Tegen de tijd dat het tweelettergrepige *jullie* geheel is uitgesproken kan ze zien, door een soort magische overdracht of misschien gewoon door het beeld op mijn netvlies, wat ik zie. Als blozen tot haar repertoire zou behoren, zou ze blozen. Maar dat doet het niet. Bedoelt u, zegt ze koeltjes, of we doen aan geboorte-

---

Veel beter, zei ik. Zo slecht zijn uw ogen niet.

Meestal heeft hij een mosterdkleurig tweedjasje aan dat zo uit een Engelse film van rond 1950 zou kunnen komen en vies ruikt, naar oude citroenschil. Als hij me vraagt over zijn schouder mee te lezen, vind ik een uitvlucht. Ik zou 's nachts zijn flat binnen moeten sluipen om het jasje te stelen en het te laten stomen. Of het te verbranden.

Dit gedoe dat ik uittyp – hoeveel wordt dat in totaal? zei ik.

Dit gedoe dat je uittypt, antwoordde hij, voor zover het een reeks meningen is, meningen van dag tot dag, geldt als een mengelwerk. Een mengelwerk is niet als een roman, met een begin en een midden en een eind. Ik weet niet hoe lang het wordt. Zo lang als de Duitsers willen.

Waarom schrijft u dit gedoe? Waarom schrijft u niet nog een roman? Daar bent u toch goed in, in romans?

meedogenloze straffen op het afbeelden, ook wordt iedere discussie over de grondslag van het taboe afkeurend bekeken, zo niet verhinderd.

De radicale feministische aanval op pornografie, onder leiding van mensen als Catharine MacKinnon, had twee vertakkingen. Enerzijds werd van beelden van volwassen mannen die seks hadden met kinderen (dat wil zeggen, of met kinderen die kinderen speelden, of met acteurs van welke leeftijd dan ook die kinderen speelden) gezegd dat ze echte verkrachtingen van echte kinderen in de hand werkten. Anderzijds werd van het aanzetten van kinderen of zelfs vrouwen tot seksuele handelingen voor de camera gezegd dat het een vorm van seksuele uitbuiting was (in de pornografie-industrie zoals die vandaag de dag bestaat, zo luidde het argument, handelen vrouwen onder inherente dwang).

Enkele pikante hypothetische vragen dringen zich op. Zou er een verbod moeten komen op het in druk publiceren van een verhaal, een zelfver-

---

beperking? En ze glimlacht nauwelijks merkbaar, als om me aan te moedigen. Ja, zegt ze, haar eigen vraag beantwoordend, we doen aan geboortebeperking. Op onze manier.

Waag het me maar te vragen, zeggen haar ogen – *heb het lef te vragen welke methode we gebruiken.*

Een roman? Nee. Daar heb ik het uithoudingsvermogen niet meer voor. Om een roman te schrijven moet je als Atlas zijn, een hele wereld op je schouders torsen en haar daar maanden en jaren ondersteunen terwijl haar handelingen zich voltrekken. Dat is te veel voor me zoals ik er nu aan toe ben.

Toch, zei ik, hebben we allemaal een mening, vooral over politiek. Als u een verhaal vertelt, zullen de mensen tenminste hun mond houden en naar u luisteren. Een verhaal of een grap.

klaarde fictie, waarin een in voldoende mate tengere twintigjarige actrice voor de camera de rol speelt van een kind dat seks heeft met een volwassen man? Zo niet, waarom dan aandringen op het verbieden van een gefilmde versie van datzelfde verhaal, die niet meer is dan een overzetting van conventionele (verbale) in natuurlijke (fotografische) tekens?

Hoe zit het met het tonen van kinderen die geen seks hebben met volwassenen maar met andere kinderen? De nieuwe rechtzinnigheid lijkt in te houden dat wat het beeld schuldig maakt niet het idee van seks tussen minderjarigen is (van wie velen een actief en zelfs lukraak seksleven hebben), noch de feitelijke seks, echt of gesimuleerd, tussen acteurs die minderjarig zijn, maar het feit dat er ergens een volwassen oog aanwezig is, hetzij achter de camera, hetzij in de verduisterde gehoorzaal. Of een door minderjarigen gemaakte en alleen aan minderjarigen getoonde film waarin minderjarige acteurs seksuele handelingen verrichten een overtreding

---

Op jullie manier, zeg ik. Hm... ik zal niet vragen welke methode jullie gebruiken. Maar laat me je een welgemeende raad geven: wacht niet te lang met kinderen krijgen.

U klinkt alsof u uit ervaring spreekt, zegt ze. Hebt u zelf nooit kinderen gekregen?

Verhalen vertellen zichzelf, ze worden niet verteld, zei hij. Daar ben ik wel achter na een leven lang met verhalen te hebben gewerkt. Probeer jezelf nooit op te dringen. Wacht tot het verhaal voor zichzelf spreekt. Wacht en hoop dat het niet doof en stom en blind geboren wordt. Dat kon ik toen ik jonger was. Ik kon maanden achtereen geduldig wachten. Tegenwoordig word ik moe. Mijn aandacht verslapt.

En ik, zei ik – kom ik ook in uw meningen terecht? Heeft u over secretaresses meningen die u met de wereld wilt delen?

van het taboe zou zijn, is een interessante vraag. Vermoedelijk niet. Toch werd niet lang geleden, in een Amerikaanse staat, een jongen van zeventien in de gevangenis gestopt omdat hij seks had gehad met zijn vriendin van vijftien (hij was aangeklaagd door haar ouders).

Een zaak als seks van docenten met leerlingen brengt tegenwoordig zo'n sterke golf van afkeuring teweeg dat zelfs het uiten van het geringste woord ter verdediging ervan (precies) hetzelfde effect heeft als tegen die golf in zwemmen en voelen hoe je nietige slag wordt overweldigd door een reusachtige watermassa die je optilt en achteruit sleurt. Wat je te duchten hebt als je je mond opendoet om te spreken is niet de slag van de censor die je het zwijgen oplegt, maar een bevel tot verbanning.

Nee, zeg ik. Kinderen zijn een geschenk van boven. Ik verdiende dat geschenk kennelijk niet.

Het spijt me dat te horen, zegt ze.

•

Hij keek me doordringend aan.

Want als u me gaat gebruiken, moet u niet vergeten me voor mijn optreden te betalen.

Ik vond het best een slimme opmerking, voor een eenvoudige segretaria. Ik herhaalde het later tegen Alan. Als hij je in zijn boek gebruikt, kun je een proces tegen hem beginnen, zei Alan meteen. Alan laat nooit een kans lopen. Scherp als een mes. Een proces tegen hem en ook tegen zijn uitgevers. Een proces wegens *crimen injuria*, misdaad door belediging. Dat zou een enorme ophef in de kranten geven. Daarna zouden we in der minne kunnen schikken.

13. Over het lichaam

Wij spreken over *de hond met de zere poot* of *de vogel met de gebroken vleugel*. Maar de hond denkt niet in die termen over zichzelf, evenmin als de vogel. Voor de hond bestaat er, als hij probeert te lopen, alleen maar *ik ben pijn*, voor de vogel, als hij wil opvliegen, alleen maar *ik kan het niet*.

Bij ons lijkt het anders te zijn. Het feit dat er zulke alledaagse aanduidingen als 'mijn been', 'mijn oog', 'mijn hersenen' en zelfs 'mijn lichaam' bestaan, suggereert dat wij denken dat er een niet-materiële, misschien fictieve entiteit is die staat tegenover de 'delen' van het lichaam en zelfs tegenover het lichaam als geheel in de relatie van eigenaar tegenover eigendom. En anders toont het bestaan van zulke aanduidingen dat taal pas houvast kan vinden, pas op gang kan komen, als ze de eenheid van ervaring heeft opgesplitst.

Niet met alle delen van het lichaam voelen we ons in dezelfde mate verbonden. Als er een tumor uit mijn lichaam zou worden gesneden die me op een operatieschaaltje zou worden getoond als 'uw tumor', zou ik weerzin voelen tegenover een voorwerp dat in zekere zin 'van' mij is maar dat ik afwijs, en me zelfs verheugen over de eliminatie ervan; terwijl als een van mijn handen zou worden afgehakt en me zou worden getoond, ik ongetwijfeld in- en intreurig zou zijn.

Vannacht had ik een nare droom, die ik naderhand heb opgeschreven, over doodgaan en naar de poort van vergetelheid worden geleid door een jonge vrouw. Wat ik niet heb opgetekend is de vraag die tijdens het schrijven bij

---

Waarom zou ik een proces tegen hem willen beginnen?

Word eens wakker. Hij kan niet maar gewoon met je doen wat hij wil. Hij kan niet zomaar zijn oog op je laten vallen en obscene dingen over je verzinnen en die dan uit winstbejag aan het publiek verkopen. Ook kan hij je woorden niet opschrijven en ze publiceren zonder jouw toestemming. Dat is plagiaat. Het is erger dan plagiaat. Je hebt een identiteit, die jou alleen toebehoort. Het is je kostbaarste bezit, vanuit een bepaald oogpunt bezien, dat je mag beschermen. Uit alle macht.

Over haar, afgeknipte nagels en dergelijke hebben we geen gevoelens, omdat het verlies ervan bij een vernieuwingscyclus hoort.

Tanden en kiezen zijn raadselachtiger. De tanden en kiezen in 'mijn' mond zijn 'mijn' tanden en kiezen, een deel van 'mij', maar ik voel me er minder mee verbonden dan met bijvoorbeeld mijn lippen. Ze voelen niet meer of minder 'van mij' dan de metalen of porseleinen prothesen in mijn mond, het handwerk van tandartsen van wie ik de naam zelfs vergeten ben. Ik voel me eerder de eigenaar of beheerder van mijn tanden en kiezen dan dat ik het gevoel heb dat ze een deel van mij zijn. Als er een rotte kies zou worden getrokken en aan mij zou worden getoond, zou ik daar niet erg over inzitten, ook al zal mijn lichaam ('ik') hem nooit regenereren.

Deze gedachten over het lichaam komen niet in abstracte zin op, maar in relatie tot een specifieke persoon X, niet nader genoemd. Op de morgen van zijn sterfdag poetste X zijn tanden, ze verzorgend met de verschuldigde toewijding die wij van kindsbeen af aanleren. Na het maken van zijn toilet trad hij de dag tegemoet, en voordat de dag ten einde was, was hij dood. Zijn geest vertrok, een lichaam achterlatend dat nergens meer goed voor was, minder zelfs dan nergens meer goed voor omdat het weldra zou vergaan en een bedreiging zou gaan vormen voor de volksgezondheid. Een deel van dat dode lichaam was het volledige gebit dat hij die ochtend gepoetst had, een gebit dat ook was gestorven in de zin dat er geen bloed meer door de wortels stroomde, maar waarvan het verval paradoxaal genoeg ophield op het moment dat het lichaam afkoelde en daarmee ook de mondbacteriën afkoelden en verdelgd werden.

---

me opkwam: *Is zij het?* Deze jonge vrouw die weigert me bij mijn naam te noemen, maar me in plaats daarvan *Señor* noemt of misschien *Senior* – is zij degene die is aangewezen om mij naar mijn dood te leiden? Zo ja, wat

---

Doe niet zo raar, Alan. Hij laat me heus zijn fantasieën niet uittypen als ik het ben over wie hij fantaseert.

Waarom niet? Misschien kickt hij daar juist op: de vrouw zijn fantasieën over haarzelf laten lezen. Dat is logisch, op een omgekeerde manier. Het is een middel om macht over een vrouw uit te oefenen als je niet meer kunt neuken.

Als X in de grond begraven zou zijn, zouden de delen van 'zijn' lichaam die het meest intens hadden geleefd, die het meest 'hij' waren, zijn weggerot, terwijl 'zijn' tanden en kiezen, waarvan hij zich misschien hooguit de verzorger en beheerder had gevoeld, hem nog tot lang in de toekomst zouden hebben overleefd. Maar natuurlijk werd X niet begraven maar gecremeerd; en de mensen die de oven bouwden waarin hij werd verteerd hadden ervoor gezorgd dat die heet genoeg was om alles in as te veranderen, zelfs botten, zelfs tanden en kiezen. Zelfs tanden en kiezen.

---

een vreemde boodschapster, en wat ongepast! Maar misschien ligt het in de aard van de dood dat alles wat ermee te maken heeft, elk laatste detail, ons ongepast voorkomt.

Kom op, Alan! Wil je dat ik een nonnenschooluniform aantrek en voor de rechtbank verschijn als een maagdelijk typetje dat bloost als een man bepaalde gedachten over haar heeft? Ik word in maart dertig. Zoveel mannen hebben bepaalde gedachten over me gehad.

14. Over het slachten van dieren

Voor de meesten van ons lijkt wat we tijdens kookprogramma's op de televisie zien volkomen normaal: keukengereedschap in de ene hand, stukken rauw voedsel in de andere, op weg om tot klaargemaakt voedsel te worden getransformeerd. Maar voor wie niet gewend is om vlees te eten moet het een hoogst onnatuurlijk schouwspel zijn. Want tussen het fruit en de groente en de oliën en kruiden en specerijen liggen hompen vlees die nog maar enkele dagen eerder van het lichaam van een schepsel zijn afgehakt dat opzettelijk en met geweld is gedood. Dierlijk vlees lijkt sterk op mensenvlees – waarom ook niet? Dus het oog dat niet aan de vleesetende keuken gewend is, zal niet tot de automatische ('natuurlijke') conclusie komen dat het getoonde vlees van een karkas (dierlijk) is afgesneden en niet van een lijk (menselijk).

Het is belangrijk dat niet iedereen deze manier van naar de keuken kijken verliest – kijken met wat Viktor Sjlovski een vervreemd oog placht te noemen – als naar een plek waar, na de moorden, de lichamen van de doden naartoe worden gebracht om te worden opgedoft (vermomd) alvorens verslonden te worden (we eten vlees zelden rauw; rauw vlees is zelfs gevaarlijk voor onze gezondheid).

Op een landelijk net werd een paar avonden geleden, midden tussen de

---

Een spookbeeld uit het verleden. Langs de kant van de weg buiten Nowra, half verscholen tussen het gras, het lichaam van een vos, een wijfje, haar ogen uitgepikt, haar vacht dof geworden, platgereden door de nachttrein. *Wat ongepast*, zou dat mooie vosje zeggen.

Als me verteld was dat mijn laatste bevlieging een meisje zou gelden

---

Het heeft niets met leeftijd te maken. Waarom, zouden we tegen de rechter zeggen, zou hij driemaal het gebruikelijke tarief voor een typiste betalen? Antwoord: omdat wat hij over je schrijft vernederend is en het er nu juist om begonnen is dat je je eigen vernedering accepteert en goedkeurt. Wat in feite waar is. Hij nodigt je uit in zijn flat om naar smerige praat te luisteren, daarna heeft hij fantasieën over wat hij allemaal met je doet en daarna, als je naar zijn fantasieën op band hebt geluisterd en ze woord voor woord hebt gekopieerd, betaalt hij je zoals hij een hoer zou

kookprogramma's, een documentaire uitgezonden over wat er gebeurt in het abattoir van Port Said, waar vanuit Australië naar Egypte geëxporteerd vee aan zijn einde komt. Een verslaggever met een in zijn rugzak verstopte camera filmde beelden van koeien waarvan de achterpezen waren doorgesneden om ze gemakkelijker in bedwang te kunnen houden; daarnaast zei hij opnames te hebben die te gruwelijk waren om uit te zenden, van een beest dat in het oog werd gestoken, waarna het in de oogkas geplante mes werd gebruikt om de kop te draaien zodat het slagersmes bij de keel kon komen.

De dierenarts die de leiding had over het slachthuis werd geïnterviewd. Zich er niet van bewust dat hij heimelijk gefilmd werd, ontkende hij dat daar ooit iets onwelvoeglijks plaatsvond. Zijn slachthuis was een modelbedrijf, zei hij.

Gruwelijkheden in het abattoir van Port Said, en in de export van levende dieren in het algemeen, zijn voor Australiërs al enige tijd een bron van zorg. Vee-exporteurs hebben zelfs al een immobiliseerbank aan het slachthuis gedoneerd, een reusachtig apparaat dat het dier vastzet tussen spijlen en daarna optilt en in zijn geheel omdraait om de doodsteek te vergemakkelijken. De immobiliseerbank staat er ongebruikt bij. De slachters vonden het te veel gedoe, zei de dierenarts.

Je kunt moeilijk verwachten dat één televisieprogramma van een kwar-

---

met een uitdagende manier van doen en connecties in een meisjeshuis (*een meisjeshuis – u weet wel, waar je voor de meisjes komt*), zou ik hebben gedacht dat ik gedoemd was zo'n veel bespotte dood te sterven waarbij de bezoeker van een huis van lichte zeden een hartaanval krijgt *in medias res* en zijn stoffelijk overschot haastig moet worden aangekleed en naar

---

betalen. Het is erger dan *crimen injuria*. Het is misbruik, psychologisch en seksueel misbruik. Daar zouden we hem op kunnen pakken.

Je bent gek, Alan. Ik kom niet in zijn boek voor. Het gaat over politiek. Het gaat over John Howard en George Bush. Het gaat over samoerai met blote billen. Er komt geen seks in voor.

Hoe weet jij dat nou? Misschien zit de seks in passages die hij voor je verstopt. Misschien zit jij in de portie voor morgen. Je weet maar nooit. Waarom denk je dat hij jou uitkoos terwijl hij ook een beroepstypiste had

tier blijvende gevolgen heeft voor het gedrag van de veehandel. Het zou bespottelijk zijn om te verwachten dat geharde Egyptische slachthuismedewerkers koeien uit Australië uitkiezen voor een speciale, vriendelijker behandeling tijdens hun laatste uur op aarde. Het gezond verstand staat zelfs aan de kant van de medewerkers. Als een dier toch de keel wordt doorgesneden, wat maakt het dan nog uit dat ook de pezen van zijn achterpoten worden doorgesneden? Het idee van barmhartig doden wemelt van de absurditeiten. Wat goedbedoelende voorvechters van het dierenwelzijn lijken te verlangen, is dat het dier in een kalme gemoedstoestand voor zijn beul verschijnt en dat het door de dood wordt verrast voordat het beseft wat er gebeurt. Maar hoe kan een dier in een kalme gemoedstoestand verkeren nadat het vanaf een schip in de laadbak van een vrachtauto is gedreven en door overvolle straten is gereden naar een onbekende plaats die stinkt naar bloed en dood? Het dier is verward en wanhopig en ongetwijfeld moeilijk in bedwang te houden. Daarom worden zijn pezen doorgesneden.

---

buiten gesmokkeld en in een steeg gedumpt. Maar nee, als de nieuwe droom mag worden geloofd zal het zo niet gaan. Ik zal mijn laatste adem uitblazen in mijn eigen bed en worden ontdekt door mijn typiste, die mijn ogen zal sluiten en de telefoon zal pakken om haar verhaal te doen.

•

---

kunnen krijgen, een of ander oud manwijf met degelijke schoenen en wratten op haar kin? Heeft hij om een proeve van je werk gevraagd? Nee. Heeft hij om referenties gevraagd? Nee. Heeft hij je gevraagd hem je tieten te laten zien? Ik weet het niet. Misschien wel, zonder dat je het me vertelt. Hij heeft jou uitgekozen en niemand anders omdat hij op je geilt, Anya. Omdat hij wellustige dromen heeft waarin jij zijn smerige oude verschrompelde pik pijpt en hem daarna afranselt met een gesel. En waar komt dat op neer? Valse voorstelling van zaken. Uitlokking. Seksuele intimidatie. We gaan hem pakken!

Tegen die tijd moest ik lachen. Ik ben dol op die gekke felheid van Alan. Goed of slecht, mensen als hij houden de wereld draaiende. Kom hier, meneer, zei ik, kom me maar eens wat echte seksuele intimidatie laten zien. En we vielen op het bed. Doek.

•

15. Over vogelgriep

Men zou denken dat bepaalde virussen, en in het bijzonder het virus dat vogelgriep veroorzaakt, van de soort die ze gewoonlijk bij zich draagt kunnen overspringen op mensen. De grieppandemie van 1918 lijkt het werk van een vogelvirus te zijn geweest.

Als we met reden kunnen zeggen dat virussen in het bezit zijn van of bezeten worden door een drijfveer of instinct, dan is dat een instinct om zich voort te planten en te vermenigvuldigen. Naarmate ze zich vermenigvuldigen nemen ze steeds meer gastheerorganismen over. Het kan nauwelijks hun bedoeling zijn (bij wijze van spreken) om hun gastheren te doden. Wat ze liever zouden willen, is een zich voortdurend uitbreidende gastheerpopulatie. Wat een virus uiteindelijk wil, is de wereld overnemen, dat wil zeggen, zijn intrek nemen in elk warmbloedig lichaam. De dood van welke individuele gastheer dan ook is daarom een vorm van bijkomende schade, een vergissing of misrekening.

Wat ik niet op prijs stelde toen ik Anya de baan aanbood, was dat, omdat haar dagen min of meer ongevuld waren, werk voor haar een welkome afwisseling van de verveling was. Haar dagen zijn nog steeds ongevuld omdat ze geen enkele poging doet om werk te vinden, niet in de gezelschapsbranche of de personeelssfeer of waar dan ook. Wat meneer A aangaat, hij lijkt er genoeg aan te hebben om 's ochtends wakker te worden met zijn meisje naast zich in bed en 's avonds bij de deur door datzelfde meisje verwelkomd te worden met een drankje in haar hand.

Als u echt niet weet waarover u moet schrijven, zei ik tegen Señor C, waarom schrijft u dan niet over herinneringen aan uw liefdesleven? Daar houden mensen het meeste van – van roddels, seks, romantiek, alle sappige details. U hebt in uw tijd vast een heleboel vrouwen gekend.

Daar fleurde hij van op. Mannen horen graag dat ze een scandaleus verleden hebben.

Kon ik je raad maar opvolgen, mijn lieve Anya, zei hij. Maar helaas, ik heb me tot een verzameling meningen verplicht, niet tot memoires. Een reactie op het heden waarin ik me bevind.

De methode die het virus gebruikt om van de ene soort naar de andere over te steken, de methode van toevallige mutatie – probeer alles en kijk wat werkt – kan niet aan rationele planning worden toegeschreven. Het individuele virus heeft geen hersenen en daarom *a fortiori* geen verstand. Maar als we onverbloemd materialistisch willen zijn, kunnen we zeggen dat het denken (het rationele denken) dat mensen inschakelen bij hun pogingen om manieren te vinden om het virus te vernietigen of de toegang tot de menselijke populatie te ontzeggen ook een proces is waarbij biochemische, neurologische opties worden uitgeprobeerd, gestuurd door een neurologisch meesterprogramma dat het redeneerproces wordt genoemd, om te kijken wat effect heeft. Voor een radicale materialist komt het er dus in grote lijnen op neer dat er twee levensvormen bestaan die elk op hun eigen manier over de andere nadenken – mensen die op de menselijke manier over virale bedreigingen nadenken en virussen die op een virale manier over toekomstige gastheren nadenken. De strijdende partijen zijn in een strategisch spel verwikkeld, een spel dat op het schaakspel lijkt in de

---

Wat Anya voornamelijk doet om de lege uren te vullen is winkelen. Drie of vier keer per week, rond elf uur 's ochtends, komt ze het typewerk afleveren dat ze heeft gedaan. Kom binnen, neem een kop koffie, opper ik dan. Ze schudt haar hoofd. Ik moet winkelen, zegt ze. Echt waar? Wat kun je nou in vredesnaam nog meer moeten kopen? vraag ik. Dan glimlacht ze geheimzinnig. Spullen, zegt ze.

Maar toch, zei ik, u kunt er altijd het verleden in verwerken. Het is heus niet zo dat u geen herinneringen heeft als u aan uw bureau zit en uw gedachten de vrije loop laat. Vertel een paar verhalen en u komt menselijker over, meer van vlees en bloed. U vindt het toch niet erg dat ik mijn mening geef? Want een typist is niet bedoeld om alleen maar een typemachine te zijn.

Waarvoor is een typist dan bedoeld, zei hij, als het geen typemachine is?

Het werd niet op een agressieve manier gezegd. Het klonk als een echte vraag, alsof hij het oprecht wilde weten.

Een typist is een mens, een man of een vrouw, al naargelang, zei ik. In mijn geval een vrouw. Of ziet u me liever niet op die manier?

zin dat de ene kant aanvalt, druk uitoefent met het oog op een doorbraak, terwijl de andere verdedigt en naar zwakke punten zoekt om een tegenaanval op te zetten.

Wat verwarrend is aan de metafoor van een schaakspel voor de relaties tussen mensen en virussen, is dat het virus altijd met de witte stukken speelt en wij mensen met de zwarte. Het virus doet zijn zet, en wij reageren.

Twee partijen die zich aan een spelletje schaak zetten, verklaren zich impliciet bereid om volgens de regels te spelen. Maar in het spel dat wij tegen de virussen spelen bestaat zo'n basisovereenkomst niet. Het is niet ondenkbaar dat een virus op een dag het equivalent van een conceptuele sprong zal maken en, in plaats van het spel te spelen, het spel van het spelspelen zal beginnen te spelen, dat wil zeggen, zal beginnen de regels aan zijn eigen behoefte aan te passen. Het kan bijvoorbeeld besluiten om de regel af te schaffen dat een speler maar één zet tegelijk mag doen. Hoe zou dit er in de praktijk uit kunnen zien? In plaats van er, zoals vroeger, naar te

---

Met spullen bedoelt ze kleren. Dat ontdekte ik tijdens mijn eerste bezoek aan hun penthouse, toen ze me zonder aandringen een rondleiding gaf die ook haar kleedkamer omvatte. Het is lang geleden dat ik zo'n toegewijde kleedkamer heb gezien. Rekken en rekken vol spullen, genoeg om een middelgroot bordeel mee uit te rusten. Heb je niet ook een schoenenverzameling? zei ik. Ze lachte. Denkt u dat ik net als Imelda ben? zei ze. Ze gooide de schoenenkast open. Die bevatte veertig paar schoenen, op het blote oog.

Natuurlijk zag hij me zo. Hij zou van steen moeten zijn om me niet zo te zien, met dat geurtje dat ik op had, en mijn tieten in zijn gezicht. Arme ouwe vent! Wat moest hij zeggen? Wat moest hij doen? Hulpeloos als een baby. *Wat ben je dan, als je geen typemachine bent?* Wat een vraag! *En jij dan? Wat voor machine ben jij? Een machine die meningen spuit, als een pastamachine?*

Maar serieus, mag ik u zeggen wat ik van uw meningen vind? zei ik. Zonder er doekjes om te winden? Voor wat het waard is?

Ja, laat me horen wat je ervan vindt.

streven zodanig van vorm te veranderen dat het de weerstand van het gastheerlichaam kan overweldigen, zou het virus erin kunnen slagen om een hele klasse van ongelijksoortige vormveranderingen te ontwikkelen die tegelijkertijd als overeenkomstige functie heeft een aantal zetten in één keer te doen, over het hele bord heen.

Wij gaan ervan uit dat, zolang ze met voldoende vasthoudendheid wordt toegepast, de menselijke rede moet triomferen (gedoemd is te triomferen) over andere vormen van doelgerichte activiteit, omdat de menselijke rede de enige vorm van rede is die er is, de enige sleutel die de codes kan ontsluiten volgens welke het universum werkt. De menselijke rede, zeggen we, is de universele rede. Maar stel dat er even krachtige wijzen van 'den-

---

Ze doet zich graag voor als een Filippijnse, een kleine Filippijnse gastarbeidster. In werkelijkheid heeft ze nooit in de Filippijnen gewoond. Haar vader was een Australische diplomaat die trouwde met een vrouw die hij op een cocktailparty in Manila ontmoette, de (weldra ex-)echtgenote van een projectontwikkelaar. Totdat haar vader er met zijn secretaresse vandoor ging en een restaurant begon in Cassis (een groot schandaal), ging

---

Oké dan. Dit klinkt misschien brutaal, maar zo is het niet bedoeld. Het heeft een toontje – ik weet niet wat het beste woord is om het te beschrijven – dat mensen echt tegenstaat. Een betweterig toontje. Alles is gesneden koek: *ik ben degene met alle antwoorden, zo zit het, spreek me niet tegen, daar bereik je niks mee.* Ik weet dat u in het echte leven zo niet bent, maar zo komt u over, en dat is niet wat u wilt. Ik wou dat u dat eruit zou laten. Als u met alle geweld over de wereld moet schrijven en over hoe u die ziet, dan wou ik dat u een betere manier kon vinden.

ken' bestaan, dat wil zeggen, even effectieve biochemische processen om te komen waar je drijfveren of verlangens je hebben willen? Stel dat de wedstrijd die moet uitmaken op wiens voorwaarden het warmbloedige leven op deze planeet zal worden gecontinueerd niet door de menselijke rede zal blijken te worden gewonnen? We moeten ons geen zand in de ogen laten strooien door de recente successen van de menselijke rede in haar lange strijd tegen het virusdenken, want die heeft niet meer dan een ogenblik de boventoon gevoerd in de evolutionaire tijd. Stel dat het tij keert, en stel dat de les die uit dat keren van het tij valt te trekken is dat de menselijke rede haar gelijke heeft ontmoet?

Anya naar internationale scholen over de hele wereld (Washington, Cairo, Grenoble). Wat voor garen ze bij die internationale opleiding heeft gesponnen is niet duidelijk. Ze spreekt Frans met een accent dat de Fransen waarschijnlijk charmant vinden, maar heeft nooit van Voltaire gehoord. Ze denkt dat Kyoto een foutieve spelling van Tokio is.

Is dat alles?
Nee, ik heb nog meer te zeggen, maar over een ander onderwerp.
Mag ik dan eerst iets tot mijn verdediging zeggen?
Ga uw gang.

16. Over competitie

EEN.

In de atletiek, bij wedlopen, was het gebruikelijk dat als de scheidsrechter bij de eindstreep niet kon uitmaken wie er gewonnen had, hij de strijd ex aequo beslechtte. De scheidsrechter hier stond voor de gewone man – de gewone man met het scherpste oog. Wanneer bij een atletiekwedstrijd het scherpste oog geen verschil kan waarnemen, dan, zeiden we vroeger, is er ook geen verschil.

Op dezelfde manier gold bij een spel als cricket vroeger de afspraak dat als de scheidsrechter zei dat er iets was gebeurd – bijvoorbeeld dat de bal

---

Alan moet wel een heleboel geld verdienen, zei ik, om al die aankopen van je te financieren. Ze haalde haar schouders op. Hij wil graag dat ik er goed uitzie, zei ze. Hij pronkt graag met me. Vindt hij het niet erg dat je voor mij werkt? vroeg ik. Het is geen gewoon werk, antwoordde ze. Als het

---

Dit zijn donkere tijden. Je kunt niet van me verwachten dat ik er op een luchtige manier over schrijf. Niet als wat ik te zeggen heb oprecht gemeend is.

O nee? Ik zie niet in waarom de donkerte van de tijden inhoudt dat je op een zeepkist moet klimmen om te preken. En waarom zijn de tijden eigenlijk zo donker? Ik vind het geen donkere tijden. Ik vind het behoorlijk goede tijden. Dus laten we gewoon zeggen dat we op dat punt van mening verschillen. Mag ik nu iets over terrorisme zeggen? Als u over de terroristen schrijft, vind ik – eerlijk gezegd – dat u een beetje met uw hoofd in de wolken zit. Een beetje idealistisch bent. Een beetje onrealistisch. Volgens mij heeft u nog nooit van uw leven oog in oog gestaan met een echte moslimfundamentalist. Vooruit, zeg het me maar als ik me vergis. Nee? Nou, ik wel, en ik kan u zeggen, ze zijn niet zoals u en ik. Luister naar wat ik zeg. Ik heb een oom, de broer van mijn moeder, die een houtzagerij bezit op Mindanao. De islamisten op Mindanao voerden campagne tegen de houtzagerij, zij zeiden dat zij wilden dat ze dichtging, ze bestal hen van hun rijkdommen, de rijkdommen van het eiland. Mijn oom weigerde. Hij

het bat had geraakt – dit omwille van het spel inderdaad gebeurd was. Zulke afspraken waren in overeenstemming met het enigszins fictieve karakter dat aan sportwedstrijden werd toegekend: sport is niet het leven; wat er 'echt' in sport gebeurt is niet werkelijk van belang; wat wel van belang is, is datgene waarover we het eens zijn dat het is gebeurd.

Tegenwoordig, echter, wordt de uitslag van wedstrijden bepaald door apparatuur die scherper ziet dan het scherpste mensenoog: elektronische camera's verdelen elke seconde in een honderdtal ogenblikken en bewaren van elk ogenblik een bevroren beeld.

Het overdragen van de beslissingsbevoegdheid aan apparaten laat zien hoezeer de ideeën over de aard van atletiekwedstrijden, die vroeger naar het spel van kinderen waren gemodelleerd – de deelnemers *speelden* dat ze

---

gewoon werk was, zou hij zeggen dat het een verspilling van talent was. Maar typen voor een beroemde schrijver, dat is wat anders. Ze veegde ostentatief haar voorhoofd af. Het is warm, zei ze. Ik ga me verkleden. Excuseer me even. En ze joeg me de kleedkamer uit, maar liet de deur

---

stal niets, zei hij, hij had een vergunning. Dus kwamen de islamisten op een nacht in groten getale. Ze schoten de bedrijfsleider dood voor de ogen van zijn vrouw en kinderen, ze staken de verwerkingsloods in de fik en keken hoe hij afbrandde. In naam van Allah. In naam van de Profeet. Dat is Mindanao. Het is hetzelfde op Bali, hetzelfde in Maleisië, overal waar de fundamentalisten vaste voet aan de grond hebben. U heeft zelf gezien wat ze op Bali hebben gedaan.

U verspilt uw medelijden aan fundamentalisten, meneer C. Ze verachten uw medelijden. Ze zijn niet zoals u. Ze geloven niet in praten, in redeneren. Ze willen niet slim zijn. Ze verachten slim zijn. Ze zijn liever stom, opzettelijk stom. Je kunt met ze discussiëren tot je een ons weegt, het haalt niets uit. Ze zijn vastbesloten. Ze weten wat ze weten, ze hoeven niet meer te weten. En ze zijn niet bang. Ze vinden het niet erg om te sterven als dat de dag van de afrekening dichterbij brengt.

De dag van de afrekening?

De dag van de strijd die alle strijd zal beëindigen, wanneer de ongelovigen worden verslagen en de islam de wereld overneemt.

vijanden waren – en waarvan de modus operandi consensus was, zijn veranderd. Wat vroeger spel was, is nu werk geworden en beslissingen over wie wint en wie verliest zijn potentieel te belangrijk geworden – dat wil zeggen, te kostbaar – om aan het feilbare menselijk oog te worden overgelaten.

Het voortouw bij deze asociale, antimenselijke wending werd genomen door de paardenkoersen, die hoewel ze bekendstaan als de sport van koningen, altijd een twijfelachtige status hebben gehad in het sportarsenaal, zowel omdat de deelnemers geen mensen waren als omdat de koersen zo'n onverbloemd doelwit voor weddenschappen vormden. Eenvoudig gezegd werd de beslissing over de uitslag van een paardenkoers aan de camera overgelaten omdat er zoveel geld met die uitslag was gemoeid.

---

openstaan zodat als ik me had omgedraaid (wat ik niet deed) ik had kunnen zien hoe ze uit haar spijkerbroek gleed en in hetzelfde tomaatrode huisjurkje als waarin ze de eerste keer aan me was verschenen.

Deze flat wordt 's zomers zo heet, zei ze, toen ze zich weer bij me

---

Ik denk dat je moslims met christenen verwart. Het zijn de christenfundamentalisten die uitkijken naar de strijd die alle strijd zal beëindigen. Die noemen ze armageddon. Ze kijken uit naar armageddon en de inhuldiging van de universele heerschappij van de christelijke God. Daarom storten ze zich zo roekeloos in oorlogen. Daarom staan ze zo onverschillig tegenover de toekomst van de planeet. Dit is ons thuis niet, zeggen ze bij zichzelf: de hemel is ons thuis.

Kijk, dat bedoel ik nou, u geeft overal weer een politieke draai aan. Ik probeer u te vertellen hoe echte fundamentalisten zijn, en u maakt er een bokswedstrijd van, uw mening tegenover mijn mening. Moslims tegenover christenen. Zoals ik u al zei, dat gaat gauw vervelen. Maar u houdt waarschijnlijk van boksen – net als de terroristen. Ik niet. Boksen laat me koud.

Laten we dan van onderwerp veranderen. Als boksen je koud laat, en politiek nog kouder, waar loop je dan wel warm voor?

Aha, dacht ik bij mezelf, *daarin ben je geïnteresseerd, hè? Waar ik warm voor loop, om niet te zeggen heet!* Ik houd van een goed verhaal, zei ik koel-

Het afstappen van de oude, 'natuurlijke' manieren van sportarbitrage ten gunste van nieuwe, mechanische manieren liep parallel met een grootschaliger historische ontwikkeling: van de sportieve competitie als recreatie voor gezonde jongemannen (en in mindere mate jonge vrouwen), naar wie leden van het publiek met voldoende vrije tijd gratis konden kijken, als ze daar behoefte aan hadden, naar sport als een vorm van vermaak voor massa's betalende toeschouwers, ten tonele gebracht door zakenlieden die daarvoor professionele deelnemers in dienst hebben. Hiervoor stond het beroepsboksen model, en lange tijd voor het boksen de professionele gladiatorenwedstrijden.

Voor de generatie die met het nieuwe systeem is opgegroeid, zijn klachten over wat verloren is gegaan even oninteressant als klachten over het af-

---

voegde. Dat komt door de hoogte. Wilt u niet van flat ruilen, alleen voor de zomer? Lager is het vast koeler.

Ze zegt dat soort rare dingen (natuurlijk stelt ze niet echt een flatruil voor) zonder de geringste gêne. Ik zal u mijn fotoalbum laten zien, bood

---

tjes. Dat heb ik u gezegd. Een verhaal met menselijke trekken, waarin ik me kan inleven. Daar is niks mis mee.

•

Alan en ik hebben het gisteravond over hem gehad. Hij vertelde me een van zijn dromen, zei ik tegen Alan. Het was echt treurig, over doodgaan en zijn geest die bleef hangen, niet weg wilde gaan. Ik zei hem dat hij het moet opschrijven voor hij het vergeet, en het in zijn boek moet verwerken. Nee, zei hij, dat kon hij niet doen: het moest een mening zijn, wilde het in zijn boek thuishoren, en een droom is geen mening. Dan moet u een plek zoeken waar het past, zei ik hem (zei ik Alan). Het is een goede droom, een kwaliteitsdroom met een begin en een midden en een eind. Mijn eigen dromen slaan nooit ergens op. En trouwens (vroeg ik Alan), wie is Eurydice? Die kwam in de droom voor.

Orpheus en Eurydice, zei Alan, beroemde geliefden. Orpheus was de man, Eurydice was de vrouw die in een zoutpilaar veranderde.

schaffen van het tennisracket met het houten frame. Moeten de Jeremia's daarom hun mond houden? Het voor de hand liggende antwoord is Ja. Bestaat er enig geval waarin het antwoord Nee zou kunnen zijn?

In de sport, zelfs de moderne sport, kijken we uit naar gelijkwaardige wedstrijden. Een wedstrijd waarvan de uitslag van tevoren al vaststaat, boeit ons niet, behalve misschien wanneer de zwakkere deelnemer zich dapper genoeg teweerstelt om onze welwillende bewondering te wekken. Want een sterkere tegenstander dapper tegemoet treden is natuurlijk een van de lessen waarvoor sport, als culturele institutie, is uitgevonden.

De confrontatie tussen een nostalgische, op het verleden gerichte kijk op sport en de kijk die vandaag de dag overheerst, heeft wellicht een analoge culturele waarde. Dat wil zeggen, het argument dat het verleden beter

---

ze laatst aan. Ik ging er niet op in. Ik heb geen behoefte om het aanbeden, verwende en waarschijnlijk zelfingenomen meisje te zien dat ze ongetwijfeld geweest zal zijn. Dit jaar, het jaar waarin haar kometenpad het mijne kruist, markeert haar hoogtepunt. Nog tien jaar en haar lichaam zal

---

Ik begin met hem te doen te krijgen, zei ik. Hij heeft niemand. Zit de hele dag maar in zijn flat, of in het park tegen de vogels te praten.

Nou, zei Alan, er is altijd nog de fles om op terug te vallen als hij te eenzaam wordt.

Hoe bedoel je, er is altijd nog de fles?

Heb je me niet verteld dat hij een stille drinker is? Trouwens, heb maar niet te veel met hem te doen. Niet iedereen kan een slaatje slaan uit het ventileren van zijn nutteloze meningen. Het is een ingenieuze manier, als je er goed over nadenkt, om tegelijkertijd in beide dimensies te opereren.

De twee dimensies, de individuele dimensie en de economische dimensie – zo ziet Alan de wereld, waarbij de individuele dimensie niemand wat aangaat behalve jezelf en de economische dimensie het algehele beeld is. Ik ben het er waarschijnlijk mee eens, er valt veel voor te zeggen, maar toch ga ik ertegenin, vraag of dat alles is wat er is, en Alan gaat weer tegen mij in, zodat hij met eigen ogen kan zien dat de vrouw voor wie hij zijn vrouw aan de dijk heeft gezet geen domkop is die toevallig een mooi lichaam heeft, maar iemand met een eigen mening, iemand met ballen,

was dan het heden zal het nooit kunnen winnen, maar het kan in elk geval dapper naar voren worden gebracht.

•

TWEE.

Als we ervan uitgaan dat Australië een overvloed aan voedsel heeft en een gunstig klimaat, waarom moeten Australiërs dan worden aangespoord – door een regering die net nieuwe wetten heeft ingevoerd om het werkgevers makkelijker te maken werknemers te ontslaan – om harder en langer te werken? Het antwoord dat we krijgen is dat we in de nieuwe, geglobali-

---

dik beginnen te worden, en haar gezicht grof; ze zal gewoon zo'n ijdele, te opzichtig geklede vrouw worden die zich moet verzoenen met het feit dat mannen op straat haar geen blik meer waardig keuren.

Alan en ik zijn drie jaar samen, zei ze. Vóór Alan was ik met iemand

---

zoals hij het noemt (maar niet zulke grote als mijn heer en meester, antwoord ik gewoonlijk).

Dus ik zeg: Maar is Señor C echt zo'n bedrieger? Hebben we niet allemaal meningen die we tot de echte wereld proberen uit te breiden? Ik heb bijvoorbeeld meningen over kleur en stijl, over wat bij wat past. Dus als ik naar de schoenwinkel ga, koop ik schoenen die naar mijn mening bij de jurk passen die ik gisteren heb gekocht. Als gevolg van die mening verdient de schoenwinkel geld, verdient de fabriek die de schoenen heeft gemaakt geld, de importeur die ze heeft geïmporteerd, en ga zo maar door. Waarin verschilt dat van Señor C? Señor C heeft een droom over doodgaan en wordt in alle staten wakker, zich afvragend of hem niks mankeert. Dus gaat hij naar zijn huisarts om zich te laten onderzoeken. Zijn huisarts verdient geld, de receptioniste van zijn huisarts, het laboratorium dat de bloedtesten doet, et cetera, en dat allemaal als gevolg van een droom. Dus wat is de economische dimensie uiteindelijk anders dan het totale aantal uitbreidingen van onze individuele dimensies, onze dromen en meningen enzovoort?

Goeie vraag, antwoordt Alan. Je vergeet alleen één ding: dat dromen

seerde economie allemaal harder zullen moeten werken om *vóór te blijven*, of zelfs maar *gelijke tred te houden*. Chinezen werken langer voor minder geld dan Australiërs, krijgen we te horen, en zijn minder welvarend en kleiner behuisd. Zodoende is China in staat om goedkoper goederen te produceren dan Australië. Als Australiërs niet harder werken, zullen ze *achteropraken* en *verliezers* worden in de grote, wereldwijde race.

Aan deze afkeuring van een leven *in otio* (*otium*: vrije tijd die al dan niet voor zelfverbetering kan worden benut) en de rechtvaardiging van onafgebroken bedrijvigheid liggen aannamen ten grondslag die niet langer hoeven te worden uitgesproken, zo vanzelfsprekend en waar lijken ze te zijn: dat elke mens op aarde tot een of andere natie moet behoren en werkzaam moet zijn binnen een of andere nationale economie; dat deze nationale economieën met elkaar in competitie zijn.

De figuur van economische activiteit als een race of wedstrijd is wat de details betreft enigszins vaag, maar men zou denken dat ze, als race, geen eindstreep heeft en dus geen natuurlijk einde. Het enige doel van de renner is om in de voorhoede te geraken en daar te blijven. De vraag waarom het leven met een race moet worden vergeleken, of waarom de nationale economieën eerder tegen elkaar moeten racen dan kameraadschappelijk met elkaar joggen, omwille van hun gezondheid, wordt niet gesteld. Een race, een wedstrijd: zo staan de zaken ervoor. Wij behoren van nature tot afzonderlijke naties; naties zijn van nature in competitie met andere naties. Wij zijn zoals de natuur ons heeft gemaakt. De wereld is een jungle (de metaforen nemen

---

anders, een Fransman. Hij en ik waren verloofd. Hij heette Luc. Lucky Luc. Uit Lyon. Hij werkte hier in de wijnhandel. Hij vertelde zijn moeder over onze trouwplannen, stuurde haar een foto van ons tweeën samen, Luc en Anya. Ze was in alle staten. Ze zei dat ze geen twee Cambodjanen in de

---

over schoenen zich niet tot de economische dimensie laten uitbreiden als je het je niet kunt permitteren om schoenen te kopen. Voor angstdromen geldt hetzelfde: angst kan niet tot de economische dimensie gaan behoren als je niets aan je angst kunt doen omdat je er het geld niet voor hebt. Maar er is een algemener punt dat je buiten beschouwing laat. (Alan vindt het heerlijk om *Wat je buiten beschouwing laat* of *Wat je over het hoofd ziet* te

snel in aantal toe) en in de jungle zijn alle soorten in competitie met alle andere soorten omwille van ruimte en levensonderhoud.

De werkelijkheid wat betreft jungles is dat er onder de naties (de soorten) van de typische jungle geen winnaars of verliezers meer zijn: de verliezers zijn al eeuwen geleden uitgestorven. Een jungle is een ecosysteem waarin de overlevende soorten met elkaar in symbiose leven. Deze bereikte staat van dynamische stabiliteit is waar een ecosysteem op neerkomt.

Maar zelfs als we voorbijgaan aan de zinloze analogie met de jungle, is de bewering dat de wereld in competitieve economieën moet worden verdeeld omdat dat in de aard van de wereld ligt, overtrokken. We bezitten ze omdat we, door ongeacht welk mechanisme of gemeenschappelijk besluit dat we in het leven hebben geroepen, hebben besloten dat we onze wereld er zo willen laten uitzien. Competitie is een sublimatie van oorlogvoering. Er is niets onontkoombaars aan oorlog. Als we oorlog willen, kunnen we voor oorlog kiezen, als we vrede willen, kunnen we net zo makkelijk voor vrede kiezen. Als we competitie willen, kunnen we voor competitie kiezen; en anders kunnen we de weg van kameraadschappelijke samenwerking inslaan.

Wat de mensen die met de analogie van de jungle voor de dag komen werkelijk bedoelen, maar niet zeggen omdat het te pessimistisch klinkt, te zeer naar voorbeschikking riekt, is: *homo homini lupus.* Wij kunnen niet samenwerken omdat de menselijke natuur – de natuur van de wereld buiten beschouwing gelaten – zondig is, kwaadaardig, roofdierachtig. (Arme, belasterde beesten! De wolf verslindt geen andere wolven: *lupus lupo lupus* zou laster zijn.)

---

familie wilde hebben. Lucs oudere broer was al met een meisje uit Cambodja getrouwd, een stewardess. Ik zei tegen Luc: Zeg maar tegen je moeder dat ik geen Cambodjaanse ben en zeg haar dan gelijk maar dat ze de pot op kan. En jij kan ook de pot op. En dat was dat. Einde van Luc.

---

kunnen zeggen, en mij geeft het soms ook een kick om zijn opwinding te zien.) Het gegeven moet zijn leven in de individuele dimensie beginnen, dat geef ik toe, voordat het naar de economische kan migreren. Maar dan gebeurt er iets. Zodra er een kritische massa van gegevens is bereikt, wordt kwantiteit kwaliteit. Zodoende is het economische niet alleen een optelsom van het individuele, maar ook een overstijging ervan.

17. Over intelligent design

Een rechtbank in de VS bepaalde onlangs dat openbare scholen in een of ander stadje in Pennsylvania geen natuurkundelessen mogen gebruiken om de verklaring voor het universum te onderwijzen die Intelligent Design wordt genoemd, en in het bijzonder Intelligent Design niet als alternatief voor het darwinisme mogen presenteren.

Ik voel geen behoefte om me met de mensen achter de Intelligent Design-beweging te associëren. Desondanks blijf ik evolutie door middel van toevallige mutatie en natuurlijke selectie niet alleen niet overtuigend vinden als verklaring voor het ontstaan van complexe organismen, maar bespottelijk bovendien. Hoe kunnen we, zolang niemand van ons ook maar het flauwste idee heeft hoe je vanuit het niets een huisvlieg kunt construeren, de conclusie dat de huisvlieg in elkaar moet zijn gezet door een intelligentie van een hogere orde dan die van ons als intellectueel naïef afdoen? Als er iemand in dezen naïef is, dan is het wel degene die de werkwijzen van de westerse natuurwetenschap tot epistemologische axioma's verheft

---

Je bent geen katje om zonder handschoenen aan te pakken, zei ik. Ze vatte het op als een compliment.

Waarom herinnert ze me er voortdurend aan dat ze niet getrouwd is? Ik zou haar mijn hand kunnen aanbieden, mijn hand en mijn fortuin: *Geef Alan de bons, word de mijne!* Zou ik zo gek zijn om die sprong te wagen?

Toch, zeg ik, mijn beteuterde gezicht trekkend, terugkrabbelend, me voorbereidend op het accepteren van mijn nederlaag (ik heb al lang geleden geleerd dat het de moeite niet loont om met Alan in discussie te gaan en te winnen), heb ik te doen met die oude man (waaruit Alan opmaakt dat ik bedoel: *Als vrouw eis ik mijn natuurlijke recht op om teerhartig te zijn*). Dat is oké, zegt Alan, zolang je maar zorgt dat je gevoelens niet met je op de loop gaan. *Dat is oké* betekent: *Ik begrijp het, ik weet dat je er niets aan kunt doen, ik zou ook niet willen dat je anders was, het hoort bij je vrouwelijke charme.*

We discussiëren heel wat af, Alan en ik, maar in bed gaan we tekeer als een huis dat in brand staat. We zouden op een dag beroemde geliefden

en betoogt dat datgene waarvan niet wetenschappelijk kan worden aangetoond dat het waar (of, om het bedeesdere woord te gebruiken waaraan de wetenschap de voorkeur geeft, *valide*) is, niet waar (valide) kan zijn, niet alleen volgens de waarheidsmaatstaven (validiteitsmaatstaven) die door beoefenaars van de wetenschap worden gehanteerd maar volgens elke geldende maatstaf.

Het lijkt me geen filosofische stap terug om intelligentie toe te kennen aan het universum als geheel, in plaats van alleen aan een ondergroep van zoogdieren op de planeet Aarde. Een intelligent universum evolueert doelbewust door de tijd heen, ook al zal het doel in kwestie het bevattingsvermogen van het menselijk intellect eeuwig te boven gaan en zelfs het bereik van ons idee over wat een doel zou kunnen zijn.

Voor zover men verder zou willen gaan door onderscheid te maken tussen een universele vorm van intelligentie en het universum als geheel – een stap waarvoor ik geen reden zie – zou men die vorm van intelligentie misschien de handige eenlettergrepige naam *God* willen geven. Maar zelfs als men die stap zou zetten, zou dat nog steeds in genen dele het als waar

---

Ik ben één keer ontspoord, zei ze. Tijdelijk. Alan heeft me gered. Zo heb ik hem leren kennen.

Ik beheerste me en wachtte tot ze zou vertellen hoe ze ontspoord was.

Alan is heel goed in dat soort dingen, zei ze. Heel stabiel. Heel vaderlijk. Misschien omdat hij zelf geen vader heeft gehad. Wist u dat?

---

kunnen worden. Een goede discussie houdt zijn geest scherp, zegt Alan. Ik leer ook een hoop van hem. Hij zit altijd te lezen, gaat altijd naar studiedagen en presentaties over de nieuwste denkbeelden. Hij leest *The Wall Street Journal* en *The Economist* online, hij is geabonneerd op *The National Interest* en *Quadrant*. De partners plagen hem dat hij te intellectueel is. Maar het is allemaal goedbedoeld, hij is de markt altijd vooruit, daar respecteren ze hem om.

Toen we net bij elkaar waren wist hij niet veel van seks, van wat een vrouw wil, wat gek was als je bedenkt dat hij getrouwd was. Maar ik heb hem steeds verder gekregen, steeds verder gecoacht, en nu hoort hij bij de besten. Er is een vuur in hem dat altijd voor me brandt, en in ruil daarvoor

aannemen – of zelfs omhelzen – van een God betekenen die eiste dat er in 'hem' geloofd werd, een God die enig belang had bij onze gedachten over 'hem' of een God die goede daden beloonde en zondaars bestrafte.

Mensen die beweren dat aan elk kenmerk van elk organisme een selectiegeschiedenis van toevallige mutatie ten grondslag ligt, zouden eens moeten proberen de volgende vraag te beantwoorden: Hoe komt het dat het intellectuele apparaat dat voor mensen is geëvolueerd niet in staat lijkt om zijn eigen complexiteit *in ook maar enige mate van gedetailleerdheid* te begrijpen? Waarom voelen wij mensen een typerend ontzag – een terugdeinzen van het verstand, als voor een afgrond – wanneer we bepaalde dingen proberen te begrijpen, te *bevatten*, zoals de oorsprong van ruimte en tijd, het wezen van het niets, de aard van het begrijpen zelf? Ik zie niet in welk evolutionair voordeel deze combinatie ons geeft – de combinatie van een tekortschietend intellectueel bevattingsvermogen en het besef dat het bevattingsvermogen tekortschiet.

Eugène Marais, behorend tot de eerste generatie die zich de darwinis-

---

Ik weet niets over Alan, zei ik.

Hij was een wees. Hij is grootgebracht in een weeshuis. Hij heeft zijn eigen weg moeten vinden. Het is een interessante man. U zou hem moeten leren kennen.

Regel Twee: Laat je nooit in met de echtgenoot. Je was ontspoord, zei ik.

---

kan een vrouw heel wat door de vingers zien. Meneer Konijn, noem ik hem wel eens, want soms is het bij de konijnen af. We hebben het eens vier keer op één middag gedaan. Is dat een record of is het geen record? zei hij na de vierde keer. Het is een record, zei ik. Meneer Konijn. Meneer Peenhaar. Meneer Knoeperd.

Trouwens, zeg ik, Señor C heeft naar financiële planning geïnformeerd. Best, zegt Alan, ik zorg wel voor hem. Op wat voor manier zorg je dan voor hem? vraag ik. Op een goede manier, zegt hij. Wat houdt dat in, een goede manier? vraag ik. Stel geen vragen en je wordt niet voorgelogen, antwoordt hij. Ik wil niet dat je hem voor schut zet, zeg ik. Ik zal hem niet voor schut zetten, zegt hij, *au contraire*, ik zal zijn beschermengel zijn. Hij is oud en treurig, zeg ik, hij kan er ook niks aan doen dat hij wat voor me voelt, net

tische doctrine grondig eigen maakte, vroeg zich af in welke evolutionaire richting hijzelf zou wijzen, of hij geen voorbeeld zou zijn van een mutatie die niet zou gedijen en daarom in die zin tot uitsterven gedoemd zou zijn. In feite vroegen mensen als Marais zich af of de hele menselijke variant die zij vertegenwoordigden, gekenmerkt door een overontwikkeling van het intellect, niet een ten dode opgeschreven evolutionair experiment zou zijn dat een weg aangaf die de mensheid als geheel niet kon en wilde volgen. Zodoende was hun antwoord op bovenstaande vraag: Een intellectueel apparaat dat wordt gekenmerkt door een bewuste kennis van zijn eigen ontoereikendheid is een evolutionaire aberratie.

Ja. Maar sindsdien leid ik een rustig leventje. En u? Bent u weleens ontspoord?

Nee, zei ik, ik geloof van niet. En nu is het te laat. Als ik op mijn leeftijd ontspoorde, zou ik geen tijd meer hebben om weer op de rails te komen.

---

zomin als jij er wat aan kan doen dat je wat voor me voelt. Dat hoef je me niet te vertellen, zegt hij. Mijn Poesjesprinses. Mijn Kutjeskoningin. Kwets hem niet, zeg ik. Beloofd? Beloofd, zegt hij.

Geloof ik Alan? Natuurlijk geloof ik hem niet, en hij denkt ook geen moment dat ik hem geloof. Je hebt de individuele dimensie en dan is er het grotere beeld. Een leugen in de individuele dimensie hoeft nog geen leugen in het grotere beeld te zijn. Hij kan zijn oorsprong overstijgen. Ik heb Alan niet nodig om me dat te leren. Het is net als make-up. Make-up kan een leugen zijn, maar niet als iedereen die op heeft. Als iedereen make-up op heeft, wordt make-up algemeen gangbaar, en wat is de waarheid anders dan dat wat algemeen gangbaar is?

18. Over Zeno

Hoe tellen wij? Hoe leren we tellen? Is wat we doen als we tellen hetzelfde als wat we doen als we leren tellen?

Er zijn twee methodes om een kind te leren tellen. De ene is door een rij knopen neer te leggen (een rij van hoeveel? – Dat staat nog te bezien) en het kind te vragen van links naar rechts te gaan, eerst de wijsvinger van één hand (alleen maar één hand) op de meest linkse knoop te leggen en tegelijkertijd een woord (*nomen*, naam) van een bepaalde lijst uit te spreken – in het Nederlands *een* – dan de vinger op de volgende knoop te leggen en de volgende naam van de lijst uit te spreken, *twee*, enzovoort, *totdat het kind het doorheeft* (op wat er door te krijgen valt komen we nog terug), op welk moment we kunnen zeggen dat het kind heeft leren tellen. De lijst namen waarnaar verwezen wordt verschilt van taal tot taal, maar in alle gevallen geldt dat hij oneindig lang is.

Dan boft u, zei ze. Een pauze. U heeft geen idee wat voor iemand ik ben, hè? zei ze.

Alan vindt dat omdat Señor C zondige gedachten over mij heeft, hij op zijn nummer moet worden gezet, een paar flinke meppen met een rietje op zijn broodmagere billen (Alan heeft het niet echt onder woorden gebracht, maar ik weet dat ik gelijk heb). Maar zijn zondige gedachten echt zo zondig, vraag ik me af, als je toch te oud bent om ze in praktijk te brengen en ze in hun eigen dimensie opgesloten laat zitten? Wat heeft een oude man tenslotte nog anders op de wereld dan zondige gedachten? Señor C kan er niets aan doen als hij me begeert, net zomin als ik er iets aan kan doen als ik begeerd word. En trouwens, Alan vindt het leuk als andere mannen naar me kijken. Hij wil het niet toegeven, maar ik weet dat het zo is. Je bent toch van mij? zegt hij als hij me in zijn armen houdt. Ja toch? Ja toch? En hij drukt zo hard op mijn polsen dat het pijn doet. Van jou, altijd van jou, hijg ik, en hij komt, en daarna kom ik ook. Zo gaat dat tussen ons. Gloeiend heet.

•

De tweede methode is door één knoop voor het kind neer te leggen en het te vragen de eerste naam (*een*) van de lijst uit te spreken, dan een andere knoop neer te leggen en het te vragen de volgende naam (*twee*) uit te spreken, enzovoort, totdat het kind *het doorheeft*.

Het kind krijgt het door via inductie, maar wat krijgt het door? Het krijgt door dat, hoewel de lijst oneindig is (en daarom niet te memoriseren, niet te leren), individuele nieuwe namen daarop slechts gering in getal zijn; en bovendien dat de lijst geordend is en dat er een systeem in zit, waarbinnen individuele namen worden gecombineerd en opnieuw gecombineerd volgens een regel, een regel die je zal vertellen hoe je, gegeven de naam van het getal van de knoop waarop je nu je vinger hebt gelegd, de naam van de volgende knoop kunt voorspellen (leermethode één); of dat hij je zal vertellen hoe je, gegeven de laatste naam die je hebt uitgesproken, kunt voorspellen welke naam je moet uitspreken wanneer je bij de volgende knoop bent (leermethode twee).

In taalgemeenschappen die het bijna universele decimale telsysteem hanteren, zegt de regel je dat je maar twaalf namen uit je hoofd hoeft te leren

---

Nee, dat klopt, zei ik. Ze had gelijk. Precies diezelfde gedachte was in feite net bij me opgekomen: dat terwijl ik een heel helder beeld van haar lichamelijke gesteldheid had, zowel van haar huidige als haar toekomstige, zoals je het meest heldere beeld van een bloem kunt hebben – haar pracht, haar dappere opkomst, haar gewicht in de wereld – ik niet echt vat kon krijgen op wat er in het hoofd omging van deze vrouw van wie ik

---

Onder het laatste stel meningen van Señor C is er een die me stoort, die de vraag bij me oproept of ik hem niet al die tijd verkeerd heb beoordeeld. Die gaat over seks met kinderen. Hij toont zich er niet echt een voorstander van, maar ook weer geen tegenstander. Ik vraag me af: Is dit zijn manier om te zeggen dat zijn voorkeur die kant uit gaat? Want waarom zou hij er anders over schrijven?

Dat hij geilt op zo'n frêle typetje als ik kan ik me voorstellen. Dat doen zoveel mannen. Ik zou het ook doen als ik een man was. Maar kleine meisjes zijn een ander verhaal. Ik heb genoeg oude mannen met kleine meisjes gezien in Vietnam, meer dan genoeg.

(*een, twee* [...] *elf, twaalf*), in volgorde, waarna je kunt *uitkienen* (wat ofwel als *construeren*, ofwel als *voorspellen* kan worden opgevat) hoe de namenlijst verder gaat. Maar zelfs dat is een buitensporige eis. In theorie kun je volstaan met maar twee namen, *een* en *twee*, of met één enkele naam, *een*, plus een optellend begrip (dat *een* bij iets optelt).

Er is nog een andere, beknoptere, taalonafhankelijke manier om hetzelfde verhaal te vertellen, die niet de namen van getallen gebruikt maar de abstracte symbolen (abstract in de zin dat ze niet aan een fonisch symbool gebonden zijn) *1, 2, 3*... Maar de prijs van die beknoptheid is dat je het contact verliest met de stem van de leerling die de lijst in de juiste volgorde opzegt terwijl hij de knopen aanraakt.

Vanaf het moment dat de leerling *het doorheeft*, namelijk de regel doorheeft voor het noemen van het volgende getal, treedt de wiskunde als ge-

---

– ongetwijfeld door mijn eigen verveling, mijn eigen ledigheid, mijn eigen leeghoofdigheid – bezeten lijk te zijn geraakt, voor zover een man bezeten kan worden genoemd wanneer de seksuele drift is afgenomen en er slechts aarzelende onzekerheid bestaat over waar hij eigenlijk op uit is, wat

---

Zijn argument – dat over pornografie lijkt te gaan maar in de grond over seks gaat – is als volgt: Het filmen van een man die seks heeft met iemand van twaalf, iemand die echt twaalf is, moet verboden worden, daar heeft hij geen moeite mee, want seks met een kind, of het nu voor de camera gebeurt of niet, is een misdrijf. Maar iemand van zeventien die zich voordoet als twaalf is iets heel anders. Als er een seksscène wordt opgenomen met acteurs die daarvoor de wettelijk toegestane leeftijd hebben bereikt wordt het plotseling kunst, en kunst is oké.

Mijn eerste reactie is om naar hem terug te gaan en te zeggen: Hoe weet u dat een acteur die eruitziet als een kind en de rol van een kind speelt niet echt een kind is? Sinds wanneer staat op filmaftitelingen de leeftijd van alle spelers tussen haakjes achter hun naam, plus een notarieel bekrachtigde kopie van hun geboorteakte? Wees nou even reëel!

heel in werking. De wiskunde als geheel berust op mijn vermogen om te *tellen* – mijn vermogen om, gegeven de naam van n, n+1 te benoemen zonder dat ik de naam daarvan van tevoren ken, zonder dat ik een oneindige lijst uit mijn hoofd hoef te leren. Een groot deel van de wiskunde bestaat uit handige trucjes om situaties waarin ik niet kan tellen (de naam van het volgende element in de reeks niet kan bepalen – de naam van het volgende irrationele getal, bijvoorbeeld) in termen te gieten van situaties waarin ik wel kan tellen.

De meeste wiskundebeoefenaren beoefenen wiskunde op de voorwaarde dat we de getallen al doende construeren: met *een* als gegeven construeren we *twee* door de regel *tel één op bij het gegeven getal één* toe te passen; daarna construeren we *drie* door de regel op *twee* toe te passen; enzovoort, tot in het oneindige. De getallen liggen daar niet te wachten tot ze gevon-

---

hij eigenlijk verwacht dat het voorwerp van zijn bevlieging zal verschaffen.

Dat is het voordeel van een nederige typiste zijn. En toen, alsof ze mijn gedachten kon lezen, zei ze: Terwijl zij een blik in de diepste diepten van haar Señor kan werpen, heeft haar Señor geen idee wat er in haar omgaat.

Ik liet Alan naar het bandje luisteren, en Alan legde meteen zijn vinger op de zwakke schakel. Alan is heel snel, hij prikt in een mum van tijd door gewauwel heen. Hij probeert een scheidslijn te trekken tussen realiteiten en percepties, zei Alan. Maar alles is een perceptie. Dat heeft Kant bewezen. Dat was de kantiaanse revolutie. We hebben gewoonweg geen toegang tot het noumenale. Dus is het hele leven uiteindelijk een stel percepties. En met films is het net zo, alleen nog veel erger – vierentwintig percepties per seconde, door een mechanisch oog. Als in de perceptie van het bioscooppubliek een kind wordt verkracht, dan ís het een kind dat wordt verkracht, punt uit, maatschappelijke consensus, einde verhaal. En als het een kind is dat wordt verkracht, dan boem! dan ga je de bak in, jij en je geldschieters en je regisseur en je hele crew, alle deelnemers aan het misdrijf – zo luidt de wet, zwart op wit. Maar als het publiek niet in de maling wordt genomen, als de actrice grote tieten heeft en duidelijk een volwassene is die maar doet alsof, dan is het een ander verhaal, dan is het gewoon een mislukte film.

den worden (tot ze bereikt worden naarmate het telproces vordert): door de regel te volgen kunnen we ze in feite uit ijle lucht construeren, het ene na het andere, eindeloos.

De namen van de getallen zijn dus niet helemaal als woorden van een taal, ook al lijken ze tot de taal te behoren. Het woordenboek van de taal zinspeelt er al op dat de namen van getallen geen echte woorden zijn door er slechts een handvol van te vermelden. In geen enkel woordenboek vinden we bijvoorbeeld een lemma voor het woord drieëntwintig. Normale woorden zijn, in tegenstelling tot de namen van getallen, samengesteld uit min of meer willekeurig gekozen klanken. Zodoende zou het weinig verschil maken als het woord *krap* door het woord *park* zou worden vervangen op alle plaatsen waar *park* voorkwam. Wiskunde, daarentegen, zou een janboel worden als *8163* door *3618* zou worden vervangen op alle plaatsen waar *8163* voorkwam (bijvoorbeeld 8162 + 1 = 3618; 907 x 9 = 3618). Er bestaan,

---

Wees maar voorzichtig, zei ik. Je ziet misschien wel minder van mijn diepste diepten dan je denkt. De meningen die je uittypt hoeven niet per se uit mijn diepste diepten te komen.

Dus als je goede kinderporno maakt – ik bedoel overtuigende kinderporno – ga je naar de gevangenis, en als je slechte kinderporno maakt niet – zit het zo? zei ik.

Daar komt het wel op neer, zegt Alan, dat is het risico dat je neemt. Maak je een mislukte film, dan verdien je geen geld maar ga je niet naar de gevangenis. Maak je een goede film, dan kun je scheppen geld verdienen, alleen ga je naar de gevangenis. Je weegt de plussen tegen de minnen af en neemt een besluit. Zo werkt alles, met plussen en minnen. Natuurlijke gerechtigheid.

Ik zou Alan graag met Señor C in contact brengen om over die pedofiliekwestie te discussiëren. Alan zou de vloer met hem aanvegen. Zelfs ik zou de vloer met hem kunnen aanvegen als ik zou willen. Ik zou de vloer met hem aanvegen en daarna de deur uit marcheren. *Denkt u dat ik een domkop ben?* zou ik zeggen. *Denkt u dat ik niet tussen de regels door kan lezen? Hou uw geld maar, ik hoef het niet, doe uw eigen typewerk maar.* Grootse afgang. Doek.

zo moet worden toegegeven, enkele rudimentaire woordvormingsregels in de taal zelf – regels met legio uitzonderingen – die ons in staat stellen aan de hand van bijvoorbeeld een werkwoord te voorspellen wat het betreffende zelfstandig naamwoord, bijvoeglijk naamwoord en bijwoord zal zijn (*act – action – active – actively*); maar geen regel is zo veelomvattend als die van het tellen, de regel die ons in staat stelt tot het oneindig voorspellen (of construeren of ontdekken) van nieuwe woorden (nieuwe namen voor getallen).

De stelling dat de getallen tijdens het tellen door ons worden geconstrueerd vindt bepaalde obstakels op haar weg. We kunnen bijvoorbeeld aantonen dat er oneindig veel priemgetallen bestaan. Maar als het eerste priemgetal gegeven is, hebben we geen regel om het tweede, derde en volgende priemgetal te construeren; evenmin weten we hoe lang we getallen op hun priemeigenschappen moeten blijven testen voordat we er zeker van kun-

---

'Schande daalt op je schouders neer,' herhaalde ze zachtjes. Dat klinkt voor mij als de diepste diepten.

Geschokt zat ik erbij, sprakeloos.

Dus wat zal ú voor schande behoeden, Señor C? zei ze. En toen ik niet reageerde: Door wie verwacht ú gered te worden?

Ik weet het niet, zei ik. Als ik het wist zou ik me niet zo verloren voelen.

Ik wil wedden dat Señor C ergens in de flat een geheime pornobergplaats heeft. Ik zou de boekenplanken moeten controleren, moeten kijken of er achter de boeken misschien niet een stuk of twee *verboten* videobanden zijn verstopt. *Emmanuelle Vier!* zou ik dan zeggen – *ik ben benieuwd waar dat over gaat. En Russische poppetjes xxx! Ik had Russische poppetjes toen ik een klein meisje met staartjes was. Mag ik ze lenen? Ik breng ze over een dag of twee terug.* Wat zou hij dan zeggen? Hij zou zich geen raad weten. *Die banden zijn onderzoeksmateriaal,* zou hij liegen, *voor een boek dat ik aan het schrijven ben. Onderzoeksmateriaal?* zou ik dan zeggen. *Voor wetenschappelijk onderzoek, bedoelt u? Ik wist niet dat u seksuoloog was, Señor C.*

Hij is een overblijfsel uit de jaren zestig, meer niet, zegt Alan. Een ouderwetse aanhanger van de vrije liefde en de vrijheid van menings-

nen zijn dat we het zullen hebben bereikt. Met andere woorden, het n + zoveelste priemgetal bestaat en moet daarom te construeren zijn, maar we weten niet zeker of we binnen de levensspanne van het universum zullen kunnen zeggen hoe het heet.

Maar als we de alternatieve weg bewandelen en zeggen dat de getallen niet door ons worden geconstrueerd maar er al zijn, wachtend tot we ze vinden en ze van kentekens (namen) voorzien, komen we voor nog afschrikwekkender problemen te staan. Ook al stelt mijn telregel me in staat om met succes van 1 naar n te ploeteren en elk getal te benoemen (af te tellen) als ik het bereik, wie zal zeggen of de knoop die meteen rechts naast de knoop die n heet op me wacht inderdaad de knoop is die n+1 heet?

Dit is de duistere mogelijkheid in de kern van de paradoxen van Zeno. Voordat de pijl zijn doel kan bereiken, zegt Zeno, moet hij halverwege ge-

---

Nou, uw kleine Filippijnse typiste kan het niet voor u doen. Uw kleine Filippijnse typiste met haar winkeltassen en haar lege hoofdje.

Ik heb nooit gezegd dat je een leeg hoofdje hebt.

Nee, dat is waar, dat hebt u nooit gezegd, daar was u te beleefd voor; maar u dacht het wel. U dacht het vanaf de eerste minuut. *Wat een lekker kontje*, dacht u, *een van de lekkerste kontjes die ik ooit heb gezien. Maar niks bovenin. Was ik maar jonger*, dacht u, *dan zou ik haar maar wat graag een beurt geven.* Beken het maar. Dat was wat u dacht.

---

uiting, een sentimentele hippiesocialist, sentimenteel omdat er niets van het socialisme over is behalve de geur nadat de Berlijnse Muur was gevallen en we te zien kregen dat de Sovjet-Unie geen wereldhistorische grootmacht was, maar alleen een gigantische gifbelt met dinosaurusachtige fabrieken die minderwaardige prullen uitbraakten waar niemand op zat te wachten. Maar meneer C en zijn kameraden uit de jaren zestig weigeren hun ogen open te doen. Dat kunnen ze zich niet permitteren, het zou hun laatste illusies de grond in boren. Ze komen liever bij elkaar om pils te drinken en met de rode vlag te zwaaien en de Internationale te zingen en herinneringen op te halen aan die goeie ouwe tijd toen ze nog op de barricades stonden. Word wakker! – dat zou je tegen hem moeten zeggen. De wereld staat niet stil. Een nieuwe eeuw. Geen wrede bazen en honge-

raken; voordat hij halverwege kan geraken moet hij tot een kwart geraken; enzovoort: 1, ½, ¼ [...] $½^n$, $½^{(n+1)}$ [...] Als we erkennen dat de reeks ijkpunten die hij op zijn weg naar het doel moet passeren oneindig lang is, hoe kan de pijl daar dan ooit aankomen?

Door een manier te bedenken om het oneindige aantal infinitesimale stappen op de weg naar het doel samen te vatten en tot een eindig totaal te komen, meende Isaac Newton de paradox van Zeno bedwongen te hebben. Maar de paradox heeft diepten die Newtons vindingrijkheid te boven gaan. Stel dat, in de interval tussen de pas bereikte n^{de} stap en de nog nooit bereikte – in de geschiedenis van het universum nog nooit bereikte – $(n+1)^{de}$, de pijl de weg zou kwijtraken, in een gat zou vallen, zou verdwijnen?

Jorge Luis Borges schreef een filosofische fabel met een pokerface, 'Funes de allesonthouder', over een man aan wie de telregel, en zelfs de meer

---

Ongeveer. Dat is ongeveer wat ik dacht, maar niet in die termen.

Het geeft niet, zei ze, ik ben het gewend. Het is niet alsof u heeft geprobeerd me te verkrachten. Het is niet alsof u wellustige woordjes in mijn oor heeft gefluisterd. Daar bent u te beleefd voor. Dat zou als ontsporen gelden, in uw ogen. En nu daalt er schande op uw schouders neer, en u weet niet hoe u die kwijt moet raken.

---

rige arbeiders meer. Geen kunstmatig onderscheid meer. We zitten allemaal in hetzelfde schuitje.

Ik wil niet muggenzifterig doen, zeg ik, maar is hij niet eerder een anarchist dan een socialist? Socialisten willen toch dat de staat over alles gaat? Terwijl hij de hele tijd zegt dat de staat een bende bandieten is.

Wat waar is, zegt Alan. Met dat aspect van zijn analyse ben ik het niet oneens. En hoe meer staatsinterventie je hebt, hoe meer banditisme. Kijk maar naar Afrika. Met Afrika zal het economisch gezien nooit wat worden, omdat je daar alleen maar bandietenstaatsapparaten hebt, gesteund door bandietenlegers, die bedrijven en de bevolking schattingen opleggen. Dat is de wortel van je vriend zijn probleem: Afrika. Daar komt hij vandaan, daar zit hij gevangen, geestelijk. In zijn hoofd kan hij niet loskomen van Afrika.

fundamentele regels die ons in staat stellen om de wereld in taal te vatten, simpelweg vreemd zijn. Met immense, eenzame intellectuele krachtsinspanning construeert Funes een manier van tellen die geen telsysteem is, een manier van tellen die geen aannamen doet over wat er na n komt. Tegen de tijd dat de verteller van Borges hem ontmoet, is Funes gevorderd tot wat gewone mensen het getal vierentwintigduizend noemen.

In plaats van zevenduizend dertien zei hij (bijvoorbeeld) *Máximo Pérez*; in plaats van zevenduizend veertien, *De Spoorwegen*; andere getallen waren *Luis Melián Lafinur, Olimar, zwavel, het zadelkussen, de walvis, het gas, de ketel, Napoleon, Augustín de Vedia*. In plaats van vijfhonderd zei hij *negen* [...] Ik probeerde hem uit te leggen dat die rapsodie van onsamenhangende woorden precies het tegenovergestelde voorstelde van een telsysteem. Ik vertelde hem dat 365 zeggen inhield dat je drie honderdtallen, zes tientallen, vijf eenheden zei; een ontle-

---

Je haalt twee dingen door elkaar, zei ik. Twee verschillende bronnen van schande, van twee verschillende gradaties.

Misschien doe ik dat wel, misschien haal ik verschillende bronnen door elkaar. Maar bestaan er echt verschillende bronnen van schande? Ik dacht dat het één pot nat was, zodra het eenmaal had postgevat. Maar ik richt me naar u, u bent de expert, u bent degene die het weet. Wat gaat u aan uw soort schande doen?

Ik weet het niet, zei ik. Ik heb geen idee. Ik wilde zeggen (zei ik) dat als je in schandelijke tijden leeft, de schande op je neerdaalt, de schande op

---

Hij is mijn vriend niet, zeg ik.

Overal waar hij kijkt ziet hij Afrika, ziet hij banditisme, zegt Alan, die niet naar me luistert. Hij begrijpt de moderne tijd niet. Hij begrijpt de bestuursstaat niet.

Wat zeker geen bandietenstaat is, zeg ik.

Alan kijkt me bevreemd aan. Begin je onder zijn invloed te raken? zegt hij. Aan wiens kant sta je?

Ik begin niet onder zijn invloed te raken. Ik wil alleen op een eenvoudige manier uitgelegd krijgen waarom de bestuursstaat geen bandietenstaat is.

ding die niet mogelijk is bij de 'getallen' *De Neger Timotheus* of *vleesdeken*. Funes begreep me niet of wilde me niet begrijpen.[6]

Borges' kabbalistische, kantiaanse fabel maakt ons duidelijk dat de orde die wij in het universum bespeuren misschien wel helemaal niet in het universum huist, maar in de gedachteparadigma's die we eraan toeschrijven. De wiskunde die we hebben uitgevonden (in sommige gevallen) of ontdekt (in andere), waarvan we geloven of hopen dat het een sleutel tot de structuur van het universum is, kan evengoed een privétaal zijn – privé voor mensen met menselijke hersenen – waarin we de muren van onze grot volkrabbelen.

---

iedereen neerdaalt, en je die gewoon moet dragen, het is je lot en je straf. Vergis ik me? Verklaar je nader.

Laat me u een verhaal vertellen, zei ze. Misschien helpt het, misschien niet. Ik was een paar jaar geleden in Cancún, op Yucatán, op reis met een vriendin. We zaten wat te drinken in een café en we raakten in gesprek met een paar Amerikaanse studenten, en die nodigden ons uit om naar hun boot te komen kijken. Ze leken aardig, dus wat kon het schelen, we gingen met ze mee. Toen zeiden ze: Zullen we een stukje gaan zeilen?

Oké, ik zal het uitleggen. De staat is in het leven geroepen om zijn burgers te beschermen. Daarom bestaat hij: om veiligheid te bieden terwijl wij ons aan onze levensactiviteiten wijden, die alles bijeengenomen en *aufgehoben* de economie vertegenwoordigen. De staat vormt een schild rond de economie. Ook neemt hij voorlopig, bij gebrek aan een betere instantie, macro-economische beslissingen wanneer die genomen moeten worden, en brengt ze ten uitvoer; maar dat is een ander verhaal voor een andere dag.

19. Over waarschijnlijkheid

Een beroemde uitspraak van Einstein was dat God geen dobbelaar is. Hij gaf daarmee uiting aan de overtuiging (het geloof? de hoop?) dat de wetten die het universum besturen eerder een deterministisch dan een probabilistisch karakter hebben.

De meeste natuurkundigen van tegenwoordig zullen Einsteins idee over wat een natuurkundige wet is een beetje naïef vinden. Toch is Einstein een formidabele bondgenoot om een beroep op te doen, voor hen die blijvende twijfels hebben over probabilistische beweringen en de verklarende waarde daarvan. Hier is bijvoorbeeld zo'n vage bewering die we elke dag tegenkomen: dat mannen met overgewicht een verhoogd risico lopen op een hartaanval. Wat betekent zo'n bewering strikt genomen? Het betekent dat als je

---

Goed, ze namen ons dus mee uit zeilen, en ik zal de details achterwege laten maar zij waren met zijn drieën en wij met zijn tweeën, en ze hadden kennelijk besloten dat we een stel sletjes waren, een stel *putas*, terwijl zij zoons van dokters en advocaten en weet ik wat nog meer waren, ze namen ons mee uit zeilen op de Caribische Zee, dus we stonden bij hen in het krijt, dus ze konden met ons doen wat ze wilden. Met zijn drieën. Drie potige jongemannen.

De economie afschermen is geen banditisme, Anya. Het kan in banditisme ontaarden, maar structureel is het geen banditisme. Het probleem van die Señor C van jou is dat hij niet structureel kan denken. Overal waar hij kijkt wil hij persoonlijke motieven aan het werk zien. Hij wil wreedheid zien. Hij wil hebzucht en uitbuiting zien. Voor hem is het allemaal een moraliteitsspel, goed versus kwaad. Wat hij niet snapt of niet wil snappen is dat individuen spelers zijn in een structuur die individuele motieven overstijgt, die goed en kwaad overstijgt. Zelfs die lui in Canberra en in de hoofdsteden van de staten, die op het persoonlijke vlak misschien inderdaad bandieten zijn – dat wil ik nog wel toegeven – die misschien tegelijkertijd hun invloed misbruiken en smeergeld aannemen en oppotten voor hun eigen toekomst, zelfs die lui werken binnen het systeem, of ze zich dat nu bewust zijn of niet.

honderden of duizenden mannen van dezelfde leeftijd weegt en hen onderverdeelt in twee klassen, overgewicht en geen overgewicht ('normaal'), waarbij je een of ander overeengekomen criterium hanteert voor wat overgewicht is, en hun ziektegeschiedenis in de loop der tijd volgt, dan zul je merken dat het aantal mannen met overgewicht dat tegen een bepaalde leeftijd een hartaanval heeft gekregen groter is dan het aantal 'normale' mannen dat een hartaanval heeft gekregen; en zelfs als de bewuste groep mannen die je bestudeert in feite *niet* groter in aantal blijkt te zijn, zal hun aantal, als je het onderzoek vele keren op verschillende plaatsen herhaalt met verschillende mannen over verschillende periodes, *toch* groter blijken te zijn; en zelfs als het aantal *nog niet* groter is, *zal* het, als je je onderzoek maar vaak genoeg koppig blijft herhalen, uiteindelijk groter worden.

Als je de onderzoeker vraagt hoe hij of zij er zeker van kan zijn dat de

---

We keerden die hele dag niet terug naar de haven. De tweede dag op zee stortte mijn vriendin in en probeerde overboord te springen, en daar schrokken ze van, dus legden ze aan in een vissersplaatsje langs de kust en dumpten ons daar. Het einde van dit avontuurtje, dachten ze, laten we nu naar een volgend op zoek gaan.

Binnen de markt, zeg ik.

Binnen de markt, zo je wilt. Die goed en kwaad overstijgt, zoals Nietzsche zei. Goede motieven of kwade motieven, uiteindelijk zijn het maar motieven, vectoren van de matrix, die op de lange duur worden afgevlakt. Maar die vriend van je snapt dat niet. Hij komt uit een andere wereld, een andere tijd. De moderne wereld gaat hem boven zijn pet. Het verschijnsel van de moderne Verenigde Staten gaat hem volledig boven zijn pet. Hij kijkt naar de VS en het enige dat hij ziet is een strijd tussen goed en kwaad, de kwade Bush-Cheney-Rumsfeld-as aan de ene kant en de goede terroristen aan de andere, samen met hun vrienden de cultuurrelativisten.

En Australië? zei ik. Wat gaat hem wat Australië betreft boven de pet?

Hij begrijpt de Australische politiek niet. Hij zoekt naar grote kwesties

cijfers uiteindelijk zullen kloppen en dat de beweerde oorzaak-en-gevolgrelatie tussen overgewicht en een hartaanval dus bewezen zal worden, zal je vraag in de volgende termen worden geherformuleerd en beantwoord: 'Ik ben er voor vijfennegentig procent zeker van' of 'ik ben er voor achtennegentig procent zeker van'. Wat betekent het om voor vijfennegentig procent zeker te zijn? kun je dan vragen. 'Dat betekent dat ik in minstens negentien van de twintig gevallen gelijk zal hebben, of, zo niet in negentien van de twintig, in negentienduizend van de twintigduizend,' zal de onderzoeker antwoorden. En welk geval is het huidige? vraag je dan: het negentiende of het twintigste, het negentienduizendste of het twintigduizendste?

Welk geval is het huidige? Welk geval ben *ik*? Wat betekent jullie bewering over te veel eten en de gevolgen van te veel eten voor *mij*? *Als* ik een hartaanval wil vermijden, *dan* moet ik met mate eten – dat is de les die ik geacht word te trekken. Maar ben ik er zeker van dat *als* ik met mate eet ik

---

Maar ze hadden het mis. Het was niet het einde. We gingen terug naar Cancún en we gaven ze aan bij de politie, we hadden alle namen, alle bijzonderheden, en ze vaardigden een aanhoudingsbevel uit en die jongens werden in de volgende haven waar ze aanmeerden gearresteerd en er werd beslag op hun jacht gelegd en het verhaal haalde zelfs de kranten in Connecticut of waar dan ook en ze zaten diep in de shit.

---

en als hij die niet ziet spreekt hij een oordeel over ons uit: Australiërs zijn bekrompen, kleingeestig, gevoelloos (kijk voor het bewijs maar naar het geval van die arme David Hicks) en wat onze politiek aangaat, die is inhoudsloos, alleen maar persoonlijke wedijver en scheldpartijen. Nou, natuurlijk spelen er geen grote kwesties in Australië. In geen enkele moderne staat spelen grote kwesties, niet meer. Dat is de definitie van moderniteit. De grote kwesties, de kwesties die ertoe doen, zijn geregeld. Zelfs de politici weten dat diep in hun hart. Voor actie moet je niet langer bij de politiek zijn. Politiek is bijzaak. En daar zou je vriend dankbaar voor moeten zijn, in plaats van zo somber en afkeurend te doen. Als hij ouderwetse politiek wil, waar mensen coups plegen en elkaar vermoorden en er geen veiligheid is en iedereen zijn geld onder zijn kussen bewaart, dan moet hij teruggaan naar Afrika. Daar zal hij zich helemaal thuis voelen.

geen hartaanval zal krijgen? Nee. God is een dobbelaar. Het ligt niet in de aard van probabilistische beweringen om door voorbeelden ontkracht te kunnen worden. Ze kunnen alleen maar probabilistisch worden bekrachtigd of ontkracht, door andere statistische onderzoeken bij andere massa's proefpersonen; en een ontkrachting kan alleen in de volgende vorm geschieden: 'De bewering dat mannen met overgewicht een verhoogd risico op een hartaanval lopen kan niet op waarschijnlijkheden worden gebaseerd en is daarom in die zin waarschijnlijk ongegrond.'

Hoe reageren mensen in het echte leven als ze te horen krijgen dat als ze te veel eten ze 'een verhoogd risico' op een hartaanval lopen? Eén reactie is: 'Waarom zou ik nog leven als ik niet van mijn eten kan genieten?' waarmee wordt bedoeld dat als de voordelen tegen de nadelen worden afgewogen een kort, dik leven te verkiezen valt boven een lang, dun leven. Een andere is: 'Mijn grootvader was ook dik en die is negentig geworden', waar-

---

En waarom vertel ik u dit verhaal? Omdat toen we naar de politie gingen, de *jefe*, de politiechef, een heel aardige man, heel sympathiek, tegen ons zei: Weten jullie wel zeker dat jullie dit willen (oftewel, weten jullie wel zeker dat jullie willen dat dit verhaal naar buiten komt), want weten jullie, schande, *infamia*, is net kauwgom, het blijft overal aan plakken.

Alan is tweeënveertig. Ik ben negenentwintig. Het is vrijdagavond. We zouden lekker op stap kunnen zijn. Maar wat doen we? We zitten in ons eentje bier te drinken en naar het verkeer op het streepje Darling Harbour te kijken dat het enige is dat we tussen de hoge gebouwen kunnen zien en praten over de oude man op de begane grond, of hij een socialist is of een anarchist. Of beter, we zitten in ons eentje en Alan vertelt mij hoe de oude man op de begane grond in elkaar steekt. Ik wil geen kritiek hebben op Alan, maar we hebben geen sociaal leven. Alan mag mijn vrienden niet van voordat ik hem leerde kennen, en zelf heeft hij geen vrienden behalve collega's, en die ziet hij doordeweeks al genoeg, zegt hij. Dus zitten we hier als een stel eenzame oude kraaien op een tak.

Denk je niet dat we te veel tijd aan Señor C besteden? zeg ik.

Helemaal mee eens, zegt Alan. Waar wil je dan over praten?

mee bedoeld wordt: 'U stelt dit voor als een wet die voor alle mannen geldt, maar ik heb hem al met een voorbeeld ontkracht.' Mijn eigen reactie is: 'Ik begrijp de term *verhoogd risico* niet. Formuleer die alstublieft in eenvoudiger taal, taal waarin geen abstracte termen als *kans, waarschijnlijkheid* voorkomen.' (Is onmogelijk.)

Probabilistische beweringen vormen een kleine wereld op zichzelf. Wat in probabilistische termen wordt gesteld kan alleen in probabilistische termen geïnterpreteerd worden. Als je niet al in probabilistische termen denkt, lijken voorspellingen die uit de probabilistische wereld komen inhoudsloos. Is het voorstelbaar dat de sfinx voorspelt dat Oedipus waarschijnlijk zijn vader zal vermoorden en met zijn moeder zal trouwen? Is het voorstelbaar dat Jezus zegt dat hij waarschijnlijk zal terugkomen?

Wat zie ik over het hoofd wanneer ik zo praat? Dat de probabilistische wetten van de kwantumfysica ons een beter inzicht in het universum geven dan de oude deterministische, beter omdat de substantie van het universum in zekere zin ongedetermineerd is en de wetten daarom van nature meer met de werkelijkheid overeenstemmen? Dat de door voorspellingen getypeerde manier van denken over de relatie tussen heden en toekomst op een archaïsche tijdsbeleving berust?

Weet u wat ik zei? zei ik. Dit is de twintigste eeuw, *capitano* (het was toen nog de twintigste eeuw). In de twintigste eeuw is het een schande voor de man als een man een vrouw verkracht. De schande kleeft de man

---

Ik wil niet praten, zeg ik. Ik wil iets doen.

We zouden naar de film kunnen gaan, zegt Alan. Als er iets draait wat de moeite waard is. Wil je dat?

Wat je wilt, zeg ik. Wat ik niet zeg, is: Kunnen we voor de verandering niet eens wat nieuws doen?

Señor C heeft meningen over God en het universum en noem maar op. Hij neemt zijn meningen op (dreun dreun) en ik typ ze gehoorzaam uit (klikkedieklak) en op een gegeven moment kopen de Duitsers zijn boek en verdiepen zich erin (*ja, ja*). Wat Alan betreft, Alan zit de godganse dag over zijn computer gebogen en komt dan thuis en vertelt me zijn meningen over rentetarieven en de laatste stappen van de Macquarie Bank, waar ik

Hoe zou het leven eruitzien als we *elke* regel zouden schrappen die alleen in probabilistische termen kan worden verwoord? 'Als je op dit of dat paard wedt, zul je waarschijnlijk je geld verliezen.' 'Als je harder rijdt dan de toegestane maximumsnelheid zul je waarschijnlijk gearresteerd worden.' 'Als je haar probeert te versieren zul je waarschijnlijk worden afgewezen.' De gemeenzame term voor het negeren van waarschijnlijkheden is *risico's nemen.* Wie zal zeggen of een leven waarin je risico's neemt (waarschijnlijk) niet beter is dan een leven waarin je je aan de regels houdt?

---

aan, niet de vrouw. Zo is het tenminste waar ik vandaan kom. En we tekenden de papieren, mijn vriendin en ik, en we liepen de deur uit.

En? zei ik.

---

gehoorzaam naar luister. Maar hoe zit het met mij? Wie luistert er naar mijn meningen?

Er is nog iets wat me dwarszit. Alan zegt dat Señor C zegt dat Australiërs gevoelloos zijn geworden, getuige hun onverschilligheid tegenover de benarde toestand van David Hicks. Nou, tot aan de portie die ik gisteren heb uitgetypt, een portie waarover ik nooit met Alan gesproken heb (nog geen kans voor gekregen), heeft Señor C het nooit over David Hicks gehad. Hoe komt het dan dat Alan van David Hicks af weet? Leest hij achter mijn rug mijn bestanden door? En waarom zou hij dat doen?

20. Over roof

De generatie blanke Zuid-Afrikanen vóór de mijne, de generatie van mijn ouders, was getuige van een significant moment in de geschiedenis, toen mensen uit het oude, in stamverband levende Afrika en masse naar steden en dorpen begonnen te trekken op zoek naar werk, zich daar vestigden en daar kinderen kregen. Dat belangrijke moment in de geschiedenis werd door de generatie van mijn ouders op rampzalige wijze misverstaan. Zij gingen er zonder verder nadenken van uit dat Afrikaanse kinderen die in de steden waren geboren de herinnering aan die migratie op de een of andere manier in zich mee droegen, dat zij zich er innerlijk van bewust waren dat ze een cruciale overgangsgeneratie vormden tussen een oud en een nieuw Afrika en hun stedelijke omgeving als nieuw, onbekend, verbazingwekkend beschouwden – als Europa's grote geschenk aan Afrika.

Maar zo is het leven niet. De wereld waarin wij geboren worden, wij allemaal, is *onze* wereld. Treinen, auto's, hoge gebouwen (drie generaties geleden), mobiele telefoons, goedkope kleding, gemaksvoedsel (huidige generatie) – zij vormen de wereld *zoals die is,* onbetwist, en zijn zeker geen geschenk van vreemden, een geschenk om je over te verbazen en dankbaar voor te zijn. Het in de stad geboren kind draagt geen kenmerken van de wildernis. Er hoeft geen 'pijnlijke overgang naar moderniteit' te worden ondergaan. De zwarte kinderen die door mijn ouders minzaam werden bejegend waren moderner dan zij, die zelf als jonge mensen van boerderijen

---

En niets. Dat is alles. De rest gaat u niet aan. Als u me vertelt dat u gebukt gaat onder uw last van schande, denk ik aan die meisjes van vroeger die het ongeluk hadden om verkracht te worden en daarna de rest van hun

---

Wat vind je van wat Señor C over wis- en natuurkunde zegt, vraag ik Alan – over getallen en over Einstein en zo?

Alan is geen wis- of natuurkundige, hij heeft bedrijfskunde gestudeerd, maar hij is een kei in wiskundige modellen geworden, hij heeft er cursussen over gegeven. Hij leest een boel, heeft van veel dingen verstand.

Elk woord dat hij zegt is gelul, zegt Alan. Het is wat ik mathematisch mysticisme noem. Wiskunde is niet een of ander geheimzinnig abracada-

en het achtergebleven platteland naar de steden waren getrokken en nog steeds de sporen van een rurale opvoeding droegen.

Ook ik was niet immuun voor hun vergissing. In de jaren dat Kaapstad mijn thuis was, beschouwde ik het als 'mijn' stad, niet alleen omdat ik er geboren was maar vooral omdat ik de geschiedenis van de stad goed genoeg kende om de palimpsest van zijn verleden onder zijn heden te zien. Maar voor de groepen jonge zwarten die tegenwoordig door zijn straten zwerven op zoek naar actie, is het 'hun' stad en ben ik de buitenstaander. De geschiedenis leeft alleen als je haar een plaats biedt in je bewustzijn; het is een last die geen vrije mens kan worden opgedrongen.

Mensen zien hoe het nieuwe Zuid-Afrika wordt overspoeld door wat ze een misdaadgolf noemen en schudden hun hoofd. Wat moet er van het land terechtkomen? zeggen ze. Maar die golf is allesbehalve nieuw. Toen zij zich drie eeuwen geleden in het land vestigden, stelden de kolonisten uit Noordwest-Europa zich aan dezelfde roofpraktijken bloot (veeroof, vrouwenroof) die de relaties tussen de daar al woonachtige groepen of stammen kenmerkten. Roof had in het zuidelijke Afrika van de koloniale begintijd een merkwaardige conceptuele status. Aangezien er geen wetgeving bestond die de betrekkingen tussen groepen regelde, kon het geen wetsovertreding worden genoemd. Tegelijkertijd was het ook niet helemaal oorlogvoering. Het was eerder een soort sport, een culturele activiteit met een serieuze ondertoon, zoals de jaarlijkse wedstrijden, sublimaties van een veldslag, die in het Europa van vroeger tussen naburige steden werden

---

leven gedoemd waren om in het zwart gekleed te gaan – in het zwart gekleed te gaan en in een hoekje te zitten en nooit naar een feestje te mogen en nooit te trouwen. U heeft het mis, meneer C. Ouderwetse denktrant.

---

bra over de aard van het getal één versus de aard van het getal twee. Het gaat helemaal niet over de aard ergens van. Wiskunde is een activiteit, een doelgerichte activiteit, net als rennen. Rennen heeft geen aard. Rennen is wat je doet als je snel van A naar B wilt komen. Wiskunde is wat je doet als je op een snelle en betrouwbare manier van V naar A wilt komen, van vraag naar antwoord.

Ik wacht op meer, maar daar blijft het bij.

gespeeld of uitgebeeld, waarbij de jongemannen uit de ene stad met geweld een gelukbrengend voorwerp probeerden te bemachtigen dat bewaakt en verdedigd werd door de jongemannen uit de andere stad. (Deze wedstrijden werden later geformaliseerd tot balspelen.)

Er zijn duizenden mensen uit de zwarte gebieden van Zuid-Afrika, vooral jongemannen, die elke morgen opstaan en, individueel of in groepen, op roof uitgaan in de blanke gebieden. Voor hen is roven hun werk, hun beroep, hun ontspanning, hun sport: kijken wat ze te pakken kunnen krijgen en mee naar huis kunnen nemen, liefst zonder vechten, liefst zonder confrontatie met de beroepsverdedigers van het bezit, de politie.

Berovingen waren een irritante doorn in het oog van de gouverneurs van de kolonie, een dreiging van een cyclus van vergeldingsacties die op oorlog zou kunnen uitlopen. Wat later apartheid ging heten was een nieuwerwetse vorm van sociaal ingenieurschap als reactie op een praktijk die generaties gewapende boeren niet hadden kunnen uitroeien. Na 1920, toen de Zuid-Afrikaanse steden hun moderne multi-etnische uiterlijk begonnen te krijgen, werden de stedelijke afstammelingen van die boeren voor hun reactie op de strooftochten vanuit de zwarte stadswijken grofweg voor twee keuzen gesteld. De ene was reactief: het definiëren van roof als een misdaad en het inschakelen van een politiemacht om op berovingen te reageren door middel van het opsporen en straffen van de rovers. De andere was proactief: het instellen van grenzen tussen zwarte en blanke wijken

---

Verkeerde analyse, om met Alan te spreken. Aanranding, verkrachting, marteling, het maakt niet uit wat: het nieuws is dat, zolang het jouw schuld niet is, zolang jij niet verantwoordelijk bent, de schande niet jou aankleeft. Dus u heeft uzelf voor niets in de put gepraat.

En waarschijnlijkheid? zeg ik. Wat vind je van wat hij over waarschijnlijkheid zegt – dat het allemaal hocus pocus is, enzovoort?

Ook gelul, zegt Alan. Onnozel gelul. Hij loopt honderd jaar achter. We leven in een probabilistisch universum, een kwantumuniversum. Schrödinger heeft het bewezen. Heisenberg heeft het bewezen. Einstein was het er niet mee eens, maar hij had het mis. Hij moest toegeven dat hij het mis had, uiteindelijk.

en het onder politiebewaking stellen van deze grenzen, waarbij elk onrechtmatig binnendringen van een zwarte in een blanke wijk als een misdrijf op zichzelf werd aangemerkt.

De reactieve optie was met drie eeuwen mislukkingen gepaard gegaan. In 1948 stemden de blanken voor het volgen van de proactieve weg, en de rest is geschiedenis. De instelling van grenzen maakte opwaartse sociale mobiliteit voor zwarten en neerwaartse sociale mobiliteit voor blanken vrijwel onmogelijk en stremde klassen- en rassentegenstellingen tot een compacte massa, terwijl de machinerie die in het leven werd geroepen om die grenzen te bewaken in de dure, tentakelachtige bureaucratie van de apartheidsstaat ontaardde.

Dat was het. Ze heeft haar zegje gedaan, haar bedoeling duidelijk gemaakt. Mijn beurt om te spreken.

Niemand is een eiland, zei ik. Van haar gezicht viel niets af te lezen. Wij zijn allemaal deel van het grote geheel, zei ik. Er is niets veranderd,

---

En vóór het kwantumuniversum? zeg ik. Vóór zo'n honderd jaar geleden? Leefden we toen in een ander soort universum?

Alan werpt me opnieuw zo'n scherpe blik toe, een heel erg scherpe dit keer, zo van *Ik ben de baas en waag het niet dat te vergeten.* Aan wiens kant sta jij, Anya? zegt hij. Hij noemt me nooit Anya behalve als hij nijdig is.

Ik sta aan jouw kant, Alan, zeg ik. Ik sta altijd aan jouw kant. Ik wil alleen je argumentatie horen.

21. Over verontschuldiging

In een nieuw boek getiteld *Sense and Nonsense in Australian History* stelt John Hirst opnieuw de vraag of blanke Australiërs zich tegenover Australische aboriginals zouden moeten verontschuldigen voor het veroveren en overnemen van hun land. Op sceptische toon vraagt hij of een verontschuldiging zonder teruggave iets voorstelt, of dat in feite geen 'nonsens' is.

Dit is niet alleen een brandende vraag voor de afstammelingen van kolonisten in Australië, maar ook voor hun equivalenten in Zuid-Afrika. In Zuid-Afrika is de situatie in één opzicht beter dan in Australië: de overdracht van landbouwgrond door blank aan zwart, ook al moet het een gedwongen overdracht zijn, is een praktische mogelijkheid die in Australië niet bestaat. Het bezit van land, het soort land dat in hectares wordt gemeten en waarop je gewassen kunt verbouwen en vee kunt laten lopen, is van een reusachtige symbolische waarde, ook al neemt het belang van kleinschalig boeren binnen de nationale economie af. Elk stuk land dat van witte in zwarte handen overgaat, lijkt zodoende een stap in een proces van restitutieve gerechtigheid te markeren dat zal eindigen met het herstel van de *status quo ante*.

Zo'n dramatische ontwikkeling valt in Australië, waar de druk van onderaf in vergelijking licht en periodiek is, niet te verwachten. Niet-inheemse Australiërs, een kleine minderheid uitgezonderd, hopen dat de kwestie gewoonweg zal ophouden te bestaan, net zoals men er in de Verenigde Sta-

---

meesteres Anya. Schande laat zich niet wegspoelen. Laat zich niet wegwensen. Heeft nog steeds hetzelfde vermogen om aan te kleven. Jouw drie Amerikaanse jongens – ik heb hen nooit gezien, maar ze doen me des-

---

Het is waar, ik sta aan Alans kant. Ik ben met Alan, en met een man zijn betekent aan zijn kant staan. Maar sinds kort begin ik me vermalen te voelen tussen hem en Señor C, tussen harde zekerheden aan de ene kant en harde meningen aan de andere, zo erg dat ik soms zin heb om de boel de boel te laten en er in mijn eentje vandoor te gaan. Als je je zo opwindt over El Señors meningen, wil ik tegen Alan zeggen, wees jij dan de typist, typ jij ze dan uit. Alleen zou hij niet de moeite nemen om ze uit te typen,

ten voor heeft gezorgd dat de kwestie van de inheemse rechten op het land ophield te bestaan, verdween.

In de krant van vandaag een advertentie van een Amerikaanse advocaat, een expert op het gebied van wettelijke aansprakelijkheid, die voor een honorarium van zeshonderdvijftig dollar per uur Australische bedrijven wil begeleiden bij het formuleren van verontschuldigingen zonder aansprakelijkheid te aanvaarden. Stap voor stap raakt de formele verontschuldiging, die vroeger de hoogste symbolische status had, gedevalueerd doordat zakenlieden en politici leren dat er in het huidige klimaat – wat zij de huidige 'cultuur' noemen – manieren bestaan om moreel verheven te zijn zonder materieel verlies te riskeren.

Deze ontwikkeling valt niet los te zien van de feminisering of sentimentalisering van de mores die twee of drie decennia geleden is ingezet. De man die te stijf is om te huilen of te onbuigzaam om zich te verontschuldigen – of preciezer gezegd, die de handeling van het huilen niet (overtuigend) ten uitvoer brengt, die de handeling van het zich verontschuldigen niet (overtuigend) ten uitvoer brengt – is een dinosaurus en een mikpunt van spot geworden, dat wil zeggen, is uit de mode geraakt.

Eerst stelde Adam Smith de rede in dienst van het belang; nu wordt ook het sentiment in dienst van het belang gesteld. In de loop van deze laatste ontwikkeling is het idee van oprechtheid van alle betekenis ontdaan. In de huidige 'cultuur' nemen maar weinigen de moeite om onderscheid te maken – ja, zijn maar weinigen in staat om onderscheid te maken – tussen

---

ondanks schande aan. En het zou me sterk verbazen als ze jou in je diepste diepten ook geen schande bleven aandoen.

Ik had nooit eerder in termen van zacht of hard over Anya gedacht. Als

---

hij zou gewoon het bandje uit het apparaat rukken en het in de prullenbak gooien. *Gelul!* zou hij schreeuwen. *Mis! Mis! Mis!* De oude stier en de jonge stier die het samen uitvechten. En ik? Ik ben de jonge koe op wie ze indruk proberen te maken, die genoeg van hun fratsen begint te krijgen.

Hij zegt, zegt Alan, dat als je buiten het probabilistische discours staat, beweringen over waarschijnlijkheid kant noch wal raken. Dat is een bewering waar op zichzelf iets voor te zeggen valt. Maar wat hij vergeet, is

oprechtheid en het ten uitvoer brengen van oprechtheid, zoals maar weinigen onderscheid maken tussen religieuze overtuiging en religieuze observantie. Op de aarzelende vraag 'Is dit echte overtuiging?' of 'Is dit echte oprechtheid?' is slechts een wezenloze blik ons deel. Echt? Wat is dat? Oprecht? Natuurlijk ben ik oprecht – dat heb ik toch gezegd?

De dure Amerikaan leert zijn cliënten noch hoe ze echte (oprechte) verontschuldigingen moeten aanbieden, noch hoe ze valse (onoprechte) verontschuldigingen moeten aanbieden die eruitzien als echte (oprechte) verontschuldigingen, maar alleen hoe ze verontschuldigingen moeten aanbieden die hen niet aan gerechtelijke vervolging zullen blootstellen. In zijn ogen en in de ogen van zijn cliënten zal een onvoorbereide, ongerepeteerde verontschuldiging waarschijnlijk een overdreven, ongepaste, slecht gecalculeerde en daarom valse verontschuldiging zijn, dat wil zeggen, een die geld kost, en geld is de maat van alle dingen.

Jonathan Swift, gij zoudt op dit uur moeten leven.

---

ik al op een materiële manier over haar dacht, dan was het als zoet: zoet als het tegenovergestelde van zout, goud als het tegenovergestelde van zilver, aarde als het tegenovergestelde van lucht. Maar nu werd ze opeens heel

---

dat je in een probabilistisch universum *nergens buiten de waarschijnlijkheid kunt staan*. Het klopt helemaal met zijn idee dat getallen voor iets buiten zichzelf staan, al kan hij niet zeggen wat. In werkelijkheid zijn getallen gewoon getallen. Ze staan nergens voor. Het zijn bouten en moeren, de bouten en moeren van de wiskunde. Het zijn dingen die we gebruiken als we in de echte wereld met wiskunde werken. Kijk om je heen. Kijk naar bruggen. Kijk naar verkeersstromen. Kijk naar de geldbewegingen.

22. Over asiel in Australië

Ik doe mijn best om de Australische manier van omgaan met asielzoekers te begrijpen, maar het lukt me niet. Wat mijn verstand te boven gaat, zijn niet de wetten zelf waaraan asielaanvragen onderworpen zijn – die zijn weliswaar streng, maar hebben tenminste nog een plausibele grondslag – maar de manier waarop ze worden toegepast. Hoe kan een fatsoenlijk, grootmoedig, niet te zwaartillend volk de ogen sluiten wanneer vreemdelingen die vrijwel hulpeloos en zonder geld zijn kust bereiken met zoveel harteloosheid, zoveel onverbiddelijke ongevoeligheid behandeld worden?

Het antwoord is vermoedelijk dat mensen niet gewoon maar hun ogen sluiten. In werkelijkheid voelen ze zich er vermoedelijk zo ongemakkelijk onder, en worden ze er zelfs zo onpasselijk van, dat ze om zichzelf en het gevoel dat ze fatsoenlijk, grootmoedig, niet te zwaartillend et cetera zijn te redden, hun ogen en oren moeten sluiten. Een natuurlijke manier om je te gedragen, een menselijke manier. Heel wat samenlevingen in derdewereldlanden behandelen leprozen even harteloos.

Van de mensen die de huidige asielzoekersregeling hebben ontworpen en die nu toepassen, laat de gemoedsgesteldheid zich pas echt moeilijk raden. Hebben zij geen twijfels en bedenkingen? Misschien niet. Als ze van meet af aan een eenvoudige, doeltreffende en *menselijke* regeling hadden willen ontwerpen voor het omgaan met asielzoekers, hadden ze dat zeker

---

steenachtig, spijkerhard. Uit haar ogen spoot een straal pure, kille woede. *U hoeft me niet te vertellen hoe ik me voel!* siste ze. Ze was te tenger gebouwd om vorstelijk te zijn, en ook te weinig passend gekleed, maar ze richtte

---

Getallen werken. Wiskunde werkt. Waarschijnlijkheden werken. Meer hoeven we niet te weten.

Heb je me zitten te bespioneren, Alan? vraag ik rustig.

Alan kijkt me woedend aan. Ben je gek? zegt hij. Waarom zou ik jou willen bespioneren?

Alan is in veel dingen goed, maar niet in liegen. Ik doorzie zijn leugens elke keer, en dat weet hij. Daarom kijkt hij zo woedend: om me te intimideren, om me af te schrikken.

kunnen doen. Wat ze in plaats daarvan hebben ontworpen is een afschrikkingsregeling, en zelfs een afschrikkingsspektakel. Het zegt: *Dit is het vagevuur waar je doorheen zult moeten als je zonder papieren in Australië aankomt. Denk er nog maar eens over na.* In dit opzicht verschilt het Baxter Detention Centre in de Zuid-Australische woestijn niet van Guantánamo Bay. *Kijk: dit is wat er gebeurt met degenen die de streep overschrijden die we hebben getrokken. Wees gewaarschuwd.*

Als bewijs dat haar systeem werkt, wijst de Australische overheid op de daling van het aantal zogenoemde 'illegale nieuwkomers' sinds het systeem in werking is getreden. En ze hebben gelijk: als afschrikkingsmiddel is hun regeling duidelijk effectief.

Men vergeet dat Australië nooit een beloofd land is geweest, een nieuwe wereld, een paradijselijk eiland dat zijn schatten aan de nieuwkomer aanbood. Het is ontstaan uit een archipel van strafkolonies, die het eigendom was van een abstracte Kroon. Eerst ging je door de ingewanden van het gerechtelijk systeem; daarna werd je naar de uiteinden van de aarde getransporteerd. Het leven in het land van de tegenvoeters was als straf bedoeld; het had geen zin om te klagen dat het onprettig was.

De huidige asielzoekers zitten min of meer in hetzelfde schuitje als degenen die vroeger werden getransporteerd. Iemand, of waarschijnlijker nog

---

zich op in haar volste majesteitelijke lengte. *Wat weet u daarvan!*

De volgende morgen lag er, samen met het computerschijfje, in mijn brievenbus een briefje in haar ronde, nogal schoolmeisjesachtige handschrift: *Dit is het laatste typewerk dat ik voor u kan doen. Ik kan er niet tegen dat u me onderuithaalt. A.*

Ik heb vóór vandaag nooit één woord over waarschijnlijkheid tegenover jou losgelaten, zeg ik. Hoe komt het dan dat je weet wat Señor C van waarschijnlijkheid vindt?

Ik heb je nooit bespioneerd, tiert Alan. Zoiets zou ik nooit doen. Maar nu je het toch vraagt, zal ik je vertellen hoe ik dat te weten ben gekomen. Er zit een meldprogramma in de computer in zijn flat. Dat meldt mij waarmee hij bezig is.

Even ben ik zo stomverbaasd dat ik geen woord kan uitbrengen.

een of andere commissie, heeft een regeling in elkaar geflanst om hen 'te verwerken'. Die regeling werd goedgekeurd en aangenomen, en nu wordt ze op een onpersoonlijke manier toegepast, zonder uitzonderingen, zonder genade, ook al dicteert ze dat mensen voor onbepaalde tijd moeten worden opgesloten in cellen in kampen in de woestijn, waar ze worden vernederd en tot waanzin gedreven en daarna worden gestraft voor hun waanzin.

Net als Guantánamo Bay richt het gevangenenkamp Baxter (correctie: de *faciliteit* Baxter) zich onder andere op mannelijke eer, mannelijke waardigheid. In het geval van Guantánamo Bay is het de bedoeling dat als mensen eindelijk uit hun cel komen, ze alleen nog maar menselijke omhulsels zijn, psychische wrakken; in de ergste gevallen bereikt Baxter hetzelfde effect.

Ik zette het briefje rechtop voor me op tafel. Hoe moest ik het lezen? Als een kennisgeving dat mijn typiste het contract wilde beëindigen, en verder niets? Als een hulpkreet van een jonge vrouw met een meer getormenteerde ziel dan ik had gedroomd?

Maar waarom zou je dat doen? zeg ik ten slotte. Hij gebruikt trouwens geen computer, zijn ogen zijn te slecht. Ik dacht dat ik je dat had verteld. Daarom heeft hij mij ingehuurd.

Nou, hij gebruikt wel een computer. Dat weet ik zeker. Hij gebruikt hem elke dag. Hij gebruikt hem voor e-mail. Alles wat jij voor hem doet, gaat op zijn harde schijf. Daar ben ik het tegengekomen. Als hij jou heeft verteld dat zijn ogen te slecht zijn om te typen, dan is dat een smoes. Wat hij kwijt is, is zijn fijne motoriek. Daarom is hij zo traag op het toetsen-

23. Over het politieke leven in Australië

Volgens Judith Brett, wier recente uiteenzetting over het Australië van John Howard ik gelezen heb, gelooft de Australische Liberal Party, net als Margaret Thatcher, niet in het bestaan van een maatschappij. Dat wil zeggen, de partij heeft een empirische ontologie die verklaart dat als je niet tegen iets aan kunt schoppen, het niet bestaat. De maatschappij is, zowel in de ogen van de Liberals als in die van Thatcher, een door sociologen bedachte abstractie.[7]

Wat volgens de Liberals *wel* bestaat, is (a) het individu, (b) de familie en (c) de natie. Familie en natie zijn de twee objectief bestaande (in de zin van schopbare) groeperingen waaronder individuen vallen. Natie en familie zijn iets waartoe het individu, op grond van geboorte, onontkoombaar behoort. Elke andere groepering tussen het niveau van familie en het niveau van natie heeft een vrijwillig karakter: zoals je kunt kiezen bij welk voetbalteam je wilt horen, of zelfs kunt kiezen om helemaal niet bij een voetbalteam te horen, zo kun je ook je religie en zelfs je klasse kiezen.

Howards overtuiging dat je gewoon door hard te werken en te sparen je oorsprong achter je kunt laten en je bij de grote Australische non-klasse kunt voegen, heeft misschien iets naïefs en zelfs kortzichtigs. Aan de andere kant is wat Howard als uniek – en bepalend – voor Australië beschouwt, precies de wijdverspreide welwillendheid die mensen aanmoedigt om uit te stijgen boven de omstandigheden waarin ze geboren zijn. (Hier zal hij

---

Lieve Anya, schreef ik.

Je bent onmisbaar voor me geworden – voor mij en voor het onderhavige project. Ik kan me niet voorstellen dat ik het manuscript aan iemand anders zou moeten overdragen. Dat zou net zoiets zijn als een kind van zijn natuur-

---

bord. Daarom ziet zijn handschrift er zo kinderlijk uit. Daarom heeft hij jou ingehuurd. Om voor hem te typen. Maar dat is nooit de hoofdreden geweest. Hij is van je bezeten, Anya. Ik weet niet of je dat beseft. Word nou niet boos op me. Ik ben niet jaloers. We leven in een vrij land. Wat hij uitkiest om bezeten van te raken is zijn zaak. Maar je moet het wel weten.

Wat heb je nog meer bespioneerd, Alan, waarvan je me niets hebt verteld?

Hij zwijgt.

een contrast zien met het moederland, Groot-Brittannië, waar mensen door subtiele banden aan de klasse van hun geboorte gebonden zijn.) En het geluk van voorspoedige tijden lijkt Howards visie te bevestigen: een aanzienlijk deel van de huidige Australische middenklasse – middenklasse volgens de economische criteria die het enige zijn dat telt voor de Liberals – heeft een arbeidersachtergrond.

De beperkingen van deze simplistische houding tegenover de maatschappij komen tot uiting in kwesties op het gebied van ras en cultuur. Een niet-racistisch Australië is in de ogen van de Liberals een land waar geen grenzen zijn die iemand van aboriginal-huize of met een andere raciale achtergrond beletten een volwaardig lid van de Australische natie te worden en een volwaardige deelnemer aan ('speler in') de Australische economie. Het enige dat nodig is om een volwaardige Australische status te verkrijgen is energie, hard werken en geloof in je (individuele) zelf.

Een soortgelijk naïef optimisme heerste er onder goedbedoelende blanken in Zuid-Afrika toen na 1990 de op ras gebaseerde wetgeving voor het toewijzen van arbeidsplaatsen werd afgeschaft. Voor deze mensen betekende het einde van de apartheid dat er geen barrières meer zouden zijn voor individuen, ongeacht hun ras, om hun economische mogelijkheden ten volle te benutten. Vandaar hun verbijstering toen het African National Congress wetgeving introduceerde die zwarten op de arbeidsmarkt bevoordeelde. In liberale ogen was er geen grotere stap terug denkbaar, een terugkeer naar de

---

lijke moeder afpakken en aan de zorg van een vreemde toevertrouwen.

Ik smeek je, denk er alsjeblieft nog eens over na.

Groet,

JC

Wil je zeggen dat hij stiekem over me schrijft? Heb je zijn persoonlijke dagboek gelezen? Want als dat zo is, ben ik pas echt kwaad. Wat een puinhoop! Wat een puinhoop! Was ik er maar nooit in verwikkeld geraakt. Maar zeg eens eerlijk: Zit je in zijn persoonlijke gedachten te neuzen?

Zijn persoonlijke gedachten zullen me worst wezen. Ik ben in andere dingen geïnteresseerd.

Zoals?

oude tijd toen huidkleur zwaarder woog dan opleiding of ambitie of ijver.

Liberalen in zowel Australië als Zuid-Afrika geloven dat de markt maar moet uitmaken wie zich opwerkt en wie niet. De overheid moet haar rol beperken tot het scheppen van voorwaarden waaronder individuen hun ambities, hun doorzettingsvermogen, hun opleiding en wat ze nog aan andere vormen van ongrijpbaar kapitaal bezitten 'in de markt kunnen zetten', die hen vervolgens (dit is het moment waarop economische filosofie in religieuze overtuiging verkeert) min of meer in verhouding tot hun bijdrage (hun 'input') zal belonen.

Hoewel ik eerder ben geboren, ben ik in wezen volgens dezelfde denkwijze opgevoed, met haar achterdocht jegens filosofisch idealisme en ideeën over het algemeen, haar meedogenloze individualisme, haar beperkte kijk op zelfontplooiing en haar ethiek van hard werken. Het enige dat in mijn tijd ontbrak was een optimistisch geloof in de markt. De markt, zo leerde ik van mijn moeder, was een duister en sinister mechanisme: hij vermaalde en verslond een honderdtal bestemmingen voor dat ene fortuinlijke individu dat hij beloonde. De generatie van mijn moeder had een duidelijk premoderne houding tegenover de markt: het was een schepping van de duivel; alleen de verdorvenen floreerden op de markt. Voor hard werken bestond geen zekere beloning op deze aarde; desondanks zou er zonder hard werken helemaal geen beloning zijn, behalve natuurlijk in het geval van de verdorvenen, de 'zwendelaars'. Het was een instelling die ver-

---

Was het waar? Was Anya van 2514 in enige andere dan de meest vergezochte zin de natuurlijke moeder van de mengelmoes van meningen die ik op papier zette in opdracht van Mittwoch Verlag uit de Herderstrasse in

---

Alan wringt zich in bochten als een klein jongetje, maar zijn gêne gaat niet diep. Ik weet wat voor soort kindertijd hij heeft gehad: eenzaam, onzeker, wanhopig verlangend om opgemerkt te worden. Vanaf het moment dat hij mij heeft leren kennen eist hij lof en aandacht. Het is alsof ik de plaats van zijn moeder heb ingenomen. Nu popelt hij om zijn nieuwe geheim te vertellen.

Zoals zijn financiën, zegt hij. Dat heb ik je gezegd. Zoals wat er met zijn bezit zal gebeuren als hij dood is. Hij is een onbenul, Anya, een finan-

sterkt werd door hun favoriete romanschrijvers: Hardy, Galsworthy, de tragische naturalisten.

Vandaar de halsstarrige stompzinnigheid waarmee ik doorga met mijn projectjes, zelfs nu nog. Koppig blijf ik geloven dat arbeid op zichzelf goed is, of de resultaten ervan nu meetbaar zijn of niet. Een economische rationalist die mijn levensloop zou overzien, zou glimlachen en zijn hoofd schudden.

'Wij zijn allemaal spelers op de wereldmarkt: als we niet concurreren, gaan we ten onder.' De markt is waar we zijn, waar we ons bevinden. Hoe we er terecht zijn gekomen mogen we niet vragen. Het is als geboren worden in een wereld die buiten ons om gekozen is, als kind van onbekende ouders. We zijn er, meer niet. Nu is het ons lot om te concurreren.

Voor wie echt in de markt gelooft, is het onzin om te zeggen dat je geen plezier hebt in het concurreren met je medemensen en je liever wilt terugtrekken. Je mag je best terugtrekken als je wilt, zeggen ze, maar je concurrenten zullen dat zeer zeker niet doen. Zodra je je wapens neerlegt, zul je worden afgeslacht. Wij zijn onontkoombaar in een strijd van allen tegen allen verwikkeld.

Maar God heeft de markt vast niet gemaakt – God of de Geest van de Geschiedenis. En als wij mensen hem hebben gemaakt, kunnen we hem dan niet ongedaan maken en opnieuw maken in een vriendelijker vorm? Waarom moet de wereld eerder een amfitheater voor gladiatoren zijn on-

---

Berlijn? Nee. De passies en vooroordelen waaruit mijn meningen voortkwamen lagen al vast lang voordat ik Anya voor het eerst te zien kreeg en waren inmiddels zo sterk – dat wil zeggen, zo ingesleten, zo star – dat er

---

ciële onbenul. Hij heeft ruim drie miljoen – *drie miljoen!* – op een spaarrekening staan tegen vierenhalf procent rente. Na belasting is dat tweeënhalf procent. Dus in concrete termen *verliest* hij elke dag geld. En weet je wat er met die drie miljoen gebeurt als hij doodgaat? Hij heeft een testament, daterend van september 1990, niet herzien, dat bepaalt dat al zijn bezittingen – het geld, de flat en de inboedel, plus immateriële goederen als auteursrechten – naar zijn zuster gaan. *Maar zijn zuster is al zeven jaar dood.* Dat heb ik gecheckt. En de tweede erfgenaam is een

der het motto doden of gedood worden dan, laten we zeggen, een bedrijvig samenwerkende bijenkorf of mierenhoop?

Ten gunste van de kunst kan tenminste worden gezegd dat hoewel iedere kunstenaar naar het beste streeft, pogingen om de sfeer van de kunst in een jungle van concurrentie en competitie te veranderen weinig succes hebben gehad. Bedrijven willen competitie in de kunst graag financieren, zoals ze nog meer bereid zijn om geld in competitieve sport te steken. Maar anders dan sportlieden weten kunstenaars dat competitie niet is waar het om gaat, alleen maar bijzaak is. De ogen van de kunstenaar zijn uiteindelijk niet op competitie gericht, maar op het ware, het goede en het mooie.

(Interessant hoe de opmars van op geld belust individualisme je in de hoek van reactionair idealisme drukt.)

En de Australische Labor Party? Na de ene electorale nederlaag na de andere te hebben geïncasseerd krijgt de ALP nu de kritiek dat ze haar leiders uit een te beperkte politieke kaste rekruteert, van mensen die geen levenservaring buiten de politiek en buiten de partij hebben. Ik twijfel er niet aan dat die kritiek terecht is. Maar de ALP staat daarin geenszins alleen. Het is een elementaire misvatting te concluderen dat omdat in een democratie politici het volk representeren, politici representatief voor het volk zijn. Het besloten leven van de typische politicus lijkt sterk op het leven in een militaire kaste of in de maffia of in Kurosawa's bandietenbendes. Je begint je carrière op de onderste sport van de ladder, met boodschappen doen en spioneren; als je hebt bewezen loyaal en gehoorzaam te zijn en bereid om rituele vernederingen te ondergaan, word je ingelijfd bij de bende zelf; daarna geldt je eerste plicht de bendeleider.

---

afgezien van een enkel woordje hier en daar geen kans was dat de breking door haar blik hun hoek kon veranderen.

Opiniâtre, zeggen de Fransen: koppig, ijzig, obstinaat. Bruno, in zijn

---

liefdadigheidsinstelling, een of andere heilloze organisatie waar zijn zuster vroeger werkte, die laboratoriumdieren oplapt.

Laboratoriumdieren?

Dieren die voor laboratoriumexperimenten zijn gebruikt. Dus in feite gaat het geld naar dieren. Alles. En dat is zijn testament, punt uit! Zoals ik zeg, nooit herzien. Zijn laatste wens, in de ogen van de wet.

24. Over links en rechts

Eerdaags zijn er federale verkiezingen in Canada, en de Conservatives worden als winnaars getipt. Ik sta perplex van de ruk naar rechts in het Westen. De kiezers kunnen met eigen ogen aanschouwen, in de Verenigde Staten, waar rechts toe leidt als het ook maar een duimbreedte gegund wordt, en toch stemmen ze rechts.

De boeman Osama bin Laden heeft een succes gehad waarvan hij zelf niet had kunnen dromen. Slechts gewapend met kalasjnikovs en kneedbommen hebben hij en zijn volgelingen het Westen geterroriseerd en gedemoraliseerd en in tal van landen algehele paniek gezaaid. Voor de bullenbijterige, militaristische stroming in het westerse politieke leven is Osama een godsgeschenk geweest.

In Australië en Canada gedragen de kiezers zich als angstige schapen. Zuid-Afrika, waar het islamistisch extremisme nog maar een lage plaats inneemt op de lijst van openbare zorgen, begint op een verstandige oudere broer te lijken. Wat een ironie!

Wat mij het meest beviel aan Australië toen ik het in de jaren negentig van de vorige eeuw voor het eerst bezocht, was de manier waarop de mensen zich in de dagelijkse omgang gedroegen: openhartig, eerlijk, met een ongrijpbare persoonlijke trots en een even ongrijpbare ironische gereserveerdheid. Nu, vijftien jaar later, hoor ik hoe het zelfbewustzijn dat in dat gedrag werd belichaamd in brede kring wordt gekleineerd als behorend bij een vroeger Australië dat uit de mode is geraakt. Terwijl het materiële fun-

---

Duits, is diplomatieker. Hij aarzelt bij het benoemen van deze kleine uitstapjes nog tussen *Meinungen* en *Ansichten. Meinungen* zijn opinies, zegt hij, maar opinies die vatbaar zijn voor stemmingswisselingen. De

---

Heb je zijn testament gezien?

Ik heb alles gezien. Testament, correspondentie met zijn notaris, bankrekeningen, wachtwoorden. Zoals ik al zei, ik heb een meldprogramma. Dat van alles meldt. Daar is het voor.

Heb je spyware op zijn computer geïnstalleerd?

Dat heb ik je verteld. Ik heb op zijn harde schijf een softwarepakketje

dament van het 'oude' maatschappelijk verkeer voor mijn ogen afkalft, krijgt dit verkeer eerder de status van maniertjes dan van levende culturele reflexen. De Australische maatschappij zal dan misschien nooit – goddank! – zo egoïstisch en wreed worden als de Amerikaanse, ze lijkt wel in die richting te slaapwandelen.

Vreemd om te merken dat je iets mist wat je nooit hebt gehad, waarvan je nooit deel hebt uitgemaakt. Vreemd om te merken dat je je weemoedig voelt over een verleden dat je nooit echt hebt gekend.

In zijn onlangs gepubliceerde geschiedschrijving van Europa na 1945 oppert Tony Judt dat Europa in de eenentwintigste eeuw misschien de Verenigde Staten zal vervangen als het voorbeeld van materiële welvaart, verlicht sociaal beleid en persoonlijke vrijheid waarnaar de rest van de wereld zal opkijken. Maar hoe sterk is de politieke klasse van Europa aan persoonlijke vrijheid gehecht? Er zijn aanwijzingen dat sommige Europese veiligheidsdiensten zo nauw samenwerken of samenspannen met de CIA dat ze in feite aan Washington rapporteren. In Oost-Europa lijken de Verenigde Staten sommige regeringen in hun zak te hebben. We mogen verwachten dat de in het Verenigd Koninkrijk van Tony Blair heersende situatie om zich heen zal grijpen: anti-Amerikaanse gevoelens onder het gewone volk, maar een regering die naar de pijpen van Amerika danst. Het is zelfs denkbaar dat we in de loop van de tijd in een deel van Europa een herhaling zullen zien van wat in de dagen van de Sovjet-Unie in Oost-Europa bestond: een blok van nationale staten waarvan de regeringen volgens een bepaalde

---

Meinungen die ik gisteren had hoeven niet de *Meinungen* te zijn die ik vandaag heb. *Ansichten*, daarentegen, zijn standvastiger, doordachter.

Bij ons laatste contact neigde zijn voorkeur naar *Meinungen*. Zes ver-

---

versleuteld in wat op het eerste gezicht een foto lijkt. Het is volkomen onzichtbaar tenzij je weet waar je naar speurt. Niemand zal het in de gaten hebben. En ik kan het van buitenaf wissen als ik wil.

Maar wat heeft dit met jou te maken? Waarom heb je belangstelling voor zijn testament?

Laat me je een vraag stellen, Anya. Wie heeft er meer aan drie miljoen dollar, een stelletje ratten en katten en honden en apen waarvan de herse-

definitie van democratie democratisch gekozen zijn, maar tegelijkertijd zijn het sleutelgebieden waarvan het beleid wordt gedicteerd door een buitenlandse mogendheid, waar afwijkende meningen worden gesmoord en publieke betogingen tegen de buitenlandse mogendheid met geweld worden onderdrukt.

Voor het enige lichtpuntje in een troosteloos schilderij wordt gezorgd door Latijns-Amerika, waar onverwachts een handvol socialistisch-populistische regeringen aan de macht is gekomen. In Washington zullen de noodklokken wel luiden: we kunnen een toenemende mate van diplomatieke druk, economische oorlogvoering en regelrechte ontwrichting tegemoet zien.

Interessant, hoe op het moment in de geschiedenis waarop het neoliberalisme verkondigt dat, nu de politiek eindelijk bij de economie is ingelijfd, de oude categorieën links en rechts versleten zijn, mensen over de hele wereld die zichzelf graag als gematigd beschouwden – dat wil zeggen, wars van de excessen van zowel links als rechts – beslissen dat in een tijd van rechts triomfalisme het idee van links te kostbaar is om overboord te zetten.

In de orthodoxe, neoliberale visie is het socialisme bezweken en gestorven onder zijn eigen contradicties. Maar zouden we er niet een alternatieve versie van het verhaal op na kunnen houden: dat het socialisme niet is bezweken maar neergeknuppeld, dat het niet is gestorven maar vermoord?

Wij beschouwen de Koude Oorlog als een periode waarin de echte oor-

---

schillende schrijvers, zes verschillende persoonlijkheden, zegt hij; hoe kunnen we zeker weten hoe sterk elke schrijver aan zijn standpunten hecht? Die vraag kunnen we maar beter openlaten. Wat de lezer sowieso

---

nen al naar de knoppen zijn door wetenschappelijke experimenten en die dankbaar zouden moeten zijn als ze op een menselijke manier werden afgemaakt; of jij en ik?

Jij en ik?

Precies: jij en ik.

Ik bedoel niet jij en ik, ik bedoel, wat hebben jij en ik met zijn geld te maken?

log, de hete oorlog, in toom werd gehouden terwijl twee rivaliserende economische systemen, het kapitalistische en het socialistische, streden om het hart en de geest van de volkeren op de wereld. Maar zouden de honderdduizenden mannen en vrouwen van het idealistische links, of misschien wel de miljoenen, die gedurende die jaren werden gevangengezet en gemarteld en terechtgesteld vanwege hun politieke overtuiging en hun openbare acties, zich kunnen vinden in een dergelijke beschrijving van die tijd? Woedde er tijdens de Koude Oorlog niet voortdurend een hete oorlog, een oorlog die gevoerd werd in kelders en gevangeniscellen en verhoorkamers overal ter wereld en waarin miljarden dollars werden gestoken, totdat hij uiteindelijk gewonnen werd, totdat het gehavende schip van het socialistische idealisme het opgaf en zonk?

---

meer interesseert, is de kwaliteit van de standpunten zelf – hun gevarieerdheid, hun vermogen om je op te schrikken, de manieren waarop ze aansluiten of niet aansluiten bij de reputatie van hun auteurs.

Ik ga dat geld ten nutte maken, Anya. Het voor de verandering laten werken, in plaats van het te laten doezelen op een bankrekening. Op drie miljoen kan ik met gemak veertien of vijftien procent krijgen. Wij maken vijftien procent, we geven hem zijn vijf procent terug, we nemen de rest als commissie, als de vrucht van intellectuele arbeid. Dat is driehonderdduizend per jaar. Als hij nog drie jaar blijft leven is het een miljoen. En hij zal het niet eens merken. Hij weet niet beter of de rente zal elk kwartaal blijven aangroeien.

25. Over Tony Blair

Het verhaal van Tony Blair zou regelrecht uit Tacitus kunnen komen. Een doodgewoon jongetje uit een kleinburgerlijk milieu met alle correcte standpunten van dien (de rijken moeten de armen subsidiëren, het leger moet streng aan banden worden gelegd, burgerrechten moeten verdedigd worden tegen aantasting door de staat), maar zonder filosofische scholing en met een gering vermogen tot introspectie, en zonder enig innerlijk kompas behalve persoonlijke ambitie, gaat scheep voor de politieke reis, met al zijn vervormende invloeden, en eindigt als een liefhebber van de hebzuchtige ondernemersgeest, als een oorlogshitser, een medeplichtige aan het martelen en doen 'verdwijnen' van tegenstanders.

Tijdens privémomenten verdedigen mannen als Blair zichzelf door te zeggen dat hun critici (altijd bestempeld als leunstoelcritici) vergeten dat in deze bepaald niet ideale wereld politiek de kunst van het mogelijke is. Ze gaan nog verder: politiek is niet voor watjes, zeggen ze, waarbij met watjes mensen worden bedoeld die aarzelen om water bij de morele wijn te doen. Politiek is van nature onverenigbaar met de waarheid, zeggen ze, althans met het onder alle omstandigheden vertellen van de waarheid. De geschiedenis zal hen in het gelijk stellen, zo besluiten ze – de geschiedenis die een langere periode kan overzien.

Er zijn gevallen geweest waarin mensen die aan de macht kwamen zichzelf bezwoeren dat ze een politiek van de waarheid zouden bedrijven,

---

Ik ben het niet met hem eens. *Ansichten* is het woord dat ik wil, zeg ik, *Harte Ansichten*, als je dat kunt zeggen in het Duits. *Feste Ansichten*, zegt Bruno. Laat me er verder over nadenken. Laat me overleggen met de medeauteurs.

Ik kan je niet meer volgen. Hoe kan het hem nou ontgaan dat er plotseling geld van zijn bankrekening verdwijnt en naar de effectenbeurs gaat?

Omdat al zijn bankafschriften, al zijn elektronische berichten, via mij zullen lopen. Ze zullen worden omgeleid. Een omweg maken. Ik zal ze aanpassen. Tot sint-juttemis.

Je bent gek! Als zijn boekhouder argwaan krijgt, of als hij doodgaat en

of in elk geval een politiek die de leugen schuwde. Fidel Castro is misschien ooit zo iemand geweest. Maar hoe snel al maken de eisen van het politieke leven het de man aan de macht moeilijk en uiteindelijk onmogelijk om het verschil te zien tussen waarheid en leugen!

Net als Blair zal Fidel op privémomenten zeggen: *Jullie hebben makkelijk praten met die verheven oordelen van jullie, maar jullie weten niet onder wat voor druk ik stond.* Het is altijd het zogenoemde realiteitsprincipe dat zulke mensen aanvoeren; kritiek op hen wordt altijd afgedaan als idealistisch, onrealistisch.

Wat gewone mensen de keel uit begint te hangen is om verklaringen van hun regeerders te moeten aanhoren die nooit helemaal waar zijn: een beetje minder dan waar, of een beetje bezijden de waarheid, of met een draai eraan die de waarheid doet wankelen. Ze willen af van de voortdurende uitvluchten. Vandaar hun honger (een lichte honger, zo moet worden toegegeven) om te horen hoe welbespraakte mensen van buiten de politieke wereld – academici of geestelijken of geleerden of schrijvers – over openbare aangelegenheden denken.

Maar hoe kan deze honger worden gestild door de eenvoudige schrijver (om het maar bij schrijvers te houden), als die schrijver gewoonlijk een onvolledige of onvaste greep op de feiten heeft, als zijn eigen toegang tot de zogenaamde feiten waarschijnlijk via media binnen het politieke krachtenveld moet worden verschaft en als hij vanwege zijn roeping de helft van de tijd even geïnteresseerd is in de leugenaar en de psychologie van de leugen als in de waarheid?

Wat is gaan veranderen sinds ik in de baan van Anya ben beland, zijn niet zozeer mijn meningen zelf als wel mijn mening over mijn meningen. Als ik doorlees wat ze slechts uren tevoren van een opname van mijn

---

de nalatenschap gaat naar de juristen, zal het spoor regelrecht naar jou leiden. Dan ga je naar de gevangenis. Het zal het einde van je carrière betekenen.

Het spoor zal niet naar mij leiden. Integendeel, het spoor zal naar een stichting in Zwitserland leiden die een groep neurologieklinieken beheert en beurzen verstrekt aan onderzoekers naar parkinsonisme; en als ze het

26. Over Harold Pinter

Harold Pinter, winnaar van de Nobelprijs voor literatuur 2005, is te ziek om voor de plechtigheid naar Stockholm te reizen. Maar in een opgenomen toespraak die met recht een meedogenloze aanval kan worden genoemd, laakt hij Tony Blair vanwege diens aandeel in de oorlog in Irak en doet hij een oproep om hem als een oorlogsmisdadiger voor de rechter te slepen.

Wanneer je uit eigen naam spreekt – dat wil zeggen, niet door middel van je kunst – bij het kapittelen van een of andere politicus, en daarbij de retoriek van het marktplein gebruikt, ga je een gevecht aan dat je waarschijnlijk zult verliezen omdat je een gebied betreedt waarop je tegenstander veel geoefender en bedrevener is. 'Natuurlijk heeft meneer Pinter recht op zijn mening,' zal het antwoord luiden. 'Hij geniet tenslotte de vrijheden van een democratische samenleving, vrijheden die wij op dit moment tegen extremisten proberen te beschermen.'

Er is dus enig lef voor nodig om te spreken zoals Pinter heeft gedaan. Wie weet heeft Pinter heel goed in de gaten dat hij gladjes tegengesproken, gekleineerd of zelfs belachelijk gemaakt zal worden. Desondanks lost hij het eerste schot en zet zich schrap voor het antwoord. Wat hij heeft gedaan mag misschien onbezonnen zijn, laf is het niet. En er komt een moment dat de woede en de schaamte zo groot zijn dat alle berekening, alle prudentie erdoor overspoeld raakt en je moet handelen, dat wil zeggen, spreken.

---

sprekende stem in 14puntsletters heeft vertaald, zijn er vluchtige momenten waarin ik die harde meningen van mij door haar ogen kan zien – kan zien hoe vreemd en ouderwets ze moeten lijken voor een

---

spoor nog verder willen volgen, zal het hen van Zürich naar een op de Kaaiman Eilanden ingeschreven houdstermaatschappij leiden; en op dat moment zullen ze zich gedwongen zien om het op te geven, omdat we geen verdrag met de Kaaiman Eilanden hebben. Ik zal volkomen onzichtbaar zijn, van begin tot eind. Zoals God. En jij ook.

Zwitserland? Parkinsonisme? De ziekte van Parkinson bedoel je dus?

27. Over muziek

In de wachtkamer van de dokter werd een decennium of twee geleden de verveling verdreven met rustige achtergrondmuziek: sentimentele Broadway-liedjes, populaire klassiekers als Vivaldi's *Vier jaargetijden*. Tegenwoordig hoor je echter alleen de bonkende, mechanische muziek die bij jongeren in de smaak valt. De overdonderde ouderen verdragen het zonder protest: *faute de mieux* is het ook hun muziek geworden.

De breuk zal waarschijnlijk niet worden hersteld. Het slechte verdrijft het goede: wat ze 'klassieke' muziek noemen, is simpelweg geen cultureel gemeengoed meer. Valt er iets belangwekkends te zeggen over deze ontwikkeling, of moet men er alleen binnensmonds over morren?

Muziek drukt gevoel uit, dat wil zeggen, geeft vorm en onderdak aan gevoel, niet in ruimte maar in tijd. In zoverre muziek een geschiedenis heeft die meer is dan een geschiedenis van de ontwikkeling van haar vorm, moeten ook onze gevoelens een geschiedenis hebben. Misschien zijn sommige kenmerken van de gevoelens die in het verleden een uitdrukking in muziek hebben gevonden, en zijn vastgelegd voor zover muziek kan worden vastgelegd door op papier genoteerd te worden, zó ver van ons af komen te staan dat we ze niet langer als zodanig kunnen bewonen, er pas vat op kunnen krijgen na langdurige scholing op het gebied van de geschiedenis en de filosofie van de muziek, de filosofische geschiedenis van de muziek, de geschiedenis van de muziek als een geschiedenis van de voelende ziel.

Na zo'n vooronderstelling zou men verder kunnen gaan met het identi-

---

op-en-top moderne vrouw, zoals het gebeente van een merkwaardig uitgestorven schepsel, half vogel, half reptiel, dat op het punt staat in steen te veranderen. Geklaag. Gefulmineer. Verwensingen.

De ziekte van Parkinson. Daar maakt hij zich zulke zorgen over, je vriend Señor C. Daarom heeft hij een jonge secretaresse met vlugge vingers nodig. Daarom heeft hij zo'n haast om zijn boek af te krijgen. Zijn meningen. Zijn afscheid van de wereld. Dus wat die kinken in de kabel betreft waar jij het over hebt, ook al besluit hij er vroegtijdig tussenuit te knijpen, zijn rekeningen zullen volmaakt in orde zijn. Uit de bank-

ficeren van gevoelskenmerken die de eenentwintigste eeuw onzes Heren niet hebben gehaald. Een goed beginpunt zou de muziek van de negentiende eeuw zijn, aangezien het innerlijke leven van de negentiende-eeuwse mens voor sommigen van ons niet helemaal dood is, nog niet.

Denk aan zingen. De kinesthetiek van het negentiende-eeuwse kunstlied staat heel ver af van het huidige zingen. De negentiende-eeuwse zangeres was geschoold in het zingen vanuit de diepten van haar borstkas (vanuit haar longen, vanuit haar 'hart'), hield het hoofd geheven en bracht een forse, ronde toon voort van het soort dat draagt. Het is een manier van zingen die is bedoeld om morele adeldom over te brengen. Tijdens voorstellingen die natuurlijk altijd live waren, zagen de aanwezigen voor hun ogen het contrast ten tonele gevoerd worden tussen het louter fysieke lichaam en de stem die het lichaam overtreft, eruit tevoorschijn komt, erbovenuit stijgt, en het achterlaat.

Aldus werd het lied als ziel uit het lichaam geboren. En die geboorte ging niet zonder pijn, niet zonder felle steken: het verband tussen gevoel en pijn werd benadrukt in woorden als *passio, Leidenschaft*. Het geluid dat de zanger voortbracht – rond, weergalmend – had een reflectief karakter.

•

Wat een cartesiaanse onzin om vogelzang als voorgeprogrammeerde kreten te beschouwen die vogels uiten om hun aanwezigheid bij het andere geslacht kenbaar te maken, enzovoort! Elke vogelroep is een van ganser

---

Ik had haar moeten laten uitpraten over dat onderwerp van eer en schande, haar de retorische overwinning moeten gunnen waar ze op uit was. Dat zou ik nog steeds kunnen doen: naar boven gaan, op haar deur

---

afschriften zal blijken dat zijn geld naar medisch onderzoek is gegaan, bij wijze van filantropische donatie. Ik heb een complete e-mailcorrespondentie geconstrueerd, teruggaand tot jaren geleden, tussen hem en de beheerders van de Zwitserse stichting, die in een mum van tijd in zijn computer kan worden opgeslagen.

En hoe heb je die spyware van jou op zijn computer gekregen?

harte vrijlaten van het zelf in de lucht, vergezeld van een vreugde die we maar nauwelijks kunnen bevatten. *Ik!* zegt elke roep: *Ik! Wat een wonder!* Zingen bevrijdt de stem, laat hem vliegen, laat de ziel expanderen. In de loop van een militaire opleiding, daarentegen, worden mensen gedrild in het gebruiken van de stem op een snelle, vlakke, mechanische manier, zonder pauze om na te denken. Wat een schade moet de ziel ondervinden als ze zich aan de militaire stem onderwerpt, als ze die belichaamt als de eigen stem!

Ik herinner me een voorval dat jaren geleden plaatsvond in de bibliotheek van de Johns Hopkins Universiteit in Baltimore. Ik deed navraag naar het een of ander bij een bibliothecaresse, aan wie elke vraag van mij een snel, monotoon antwoord ontlokte, zodat ik met het ongemakkelijke gevoel kwam te zitten dat ik niet met een medemens sprak maar met een machine. De jonge vrouw leek zelfs prat te gaan op haar machineachtige identiteit, op de onafhankelijkheid die ervan uitging. Er was niets dat ze in ruil zocht bij mij, niets dat ik haar kon geven, zelfs niet het troostende moment van wederzijdse herkenning waarin twee mieren elkaar laten delen als ze in het voorbijgaan met hun voelsprieten langs elkaar strijken.

De lelijkheid van de spraak die je in de straten van Amerika hoort, is voor een groot deel te wijten aan de vijandige houding tegenover gezang, aan het onderdrukken van de impuls om te zingen, de ziel te omschrijven. In plaats daarvan krijgt de Amerikaanse jeugd bij haar opvoeding mechanische, militaire spraakpatronen ingeprent, om niet te zeggen ingestampt.

Natuurlijk kun je overal ter wereld onderontwikkelde en mechanische

---

kloppen, zeggen: *Je hebt gelijk, ik geef het toe, de eer heeft zijn kracht verloren, de schande is dood, kom nu bij me terug.* En misschien – wie weet? – zou dat niet helemaal gelogen zijn.

Die stond op een van de schijfjes die jij hem gegeven hebt.

Dus je hebt me gebruikt.

Als ik jou niet had gebruikt, had ik wel een andere manier gevonden. Dit is geen spelletje, Anya. We hebben het hier over een serieuze som geld. Niet *ultimo* serieus, maar wel serieus. En voordat ik me ermee ging bemoeien, werd het serieus verspild.

spraak horen. Maar het prat gaan op de mechanische manier lijkt uniek voor Amerika te zijn. Want in Amerika is het model van het zelf als een geest die een machine bewoont bijna onbetwist in de volksaard geslopen. Het beeld dat Amerikanen van het lichaam hebben, het Amerikaanse lichaam, is dat van een complexe machine die uit een vocale module, een seksuele module en nog diverse andere modules bestaat, zelfs een psychologische. In de lichaamsmachine checkt de geest van het zelf beeldschermteksten en drukt op toetsen om commando's te geven waaraan het lichaam gehoorzaamt.

Overal ter wereld hebben sportlieden het Amerikaanse model van zelf en lichaam overgenomen, waarschijnlijk onder invloed van de Amerikaanse sportpsychologie (die 'resultaten geeft'). Sportlieden spreken openlijk over zichzelf als over machines van een biologische variëteit waaraan op bepaalde momenten van de dag bepaalde voedingsstoffen moeten worden toegediend in bepaalde hoeveelheden, en die op verschillende manieren door hun opdrachtgevers moeten worden 'bewerkt' om een optimaal prestatieniveau te halen.

Men stelle zich de geslachtsgemeenschap van zulke sportlieden voor: energieke activiteit gevolgd door een orgastische uitbarsting, gerationaliseerd als een soort beloning voor het fysieke mechanisme en gevolgd door een korte periode van ontspanning waarin de geest van het zelf die de supervisie heeft, bevestigt dat de prestatie op peil was.

•

Misschien is wat ik op mij voel neerdalen als ik geconfronteerd word met beelden, van ver weg opgenomen met zoomlenzen, van mannen in oranje pakken die geboeid en met een kap over hun hoofd als zombies

---

Geen spelletje, zegt Alan. Ik ben het roerend met hem eens. Een serieuze som. Je ware. Alan heeft nooit onder stoelen of banken gestoken dat hij niet in zwart-wit gelooft. Alles is een continuüm, zegt Alan, alles bestaat uit grijstinten, van donkerder tinten aan de ene kant naar lichtere tinten aan de andere. En hij? Hij is een specialist in het middengebied, zo noemt hij dat, in de grijstinten die donker noch licht zijn. Maar in het geval van

Oude mensen eisen nog steeds klagerig antwoord op de vraag waarom de muziek niet volgens de traditie van de grote negentiende-eeuwse symfonische componisten kan worden voortgezet. Het antwoord is eenvoudig. De bezielende principes van die muziek zijn dood en kunnen niet meer tot leven worden gewekt. Je kunt geen negentiende-eeuwse symfonie componeren die niet ogenblikkelijk een museumstuk wordt.

Brahms, Tsjaikovski, Bruckner, Mahler, Elgar en Sibelius componeerden binnen de grenzen van de symfonische vorm een muziek van heroïsche wedergeboorte en/of transfiguratie. Wagner en Strauss deden vrijwel hetzelfde in zelfbedachte vormen. Hun muziek berust op parallellen tussen harmonische en op motieven gebaseerde transmutatie enerzijds en spirituele transfiguratie anderzijds. Typerend is dat door nevelige strijd naar verheldering wordt toegewerkt – vandaar de triomfantelijke teneur waarin zoveel symfonische muziek uit die periode eindigt.

Merkwaardig, als je bedenkt hoe vreemd het ideaal van spirituele transformatie is geworden, dat de muziek van de transformatie ons nog steeds tot op zekere hoogte kan ontroeren, een aanzwellend gevoel van vervoering teweeg kan brengen, die tegenwoordig zo ongewone emotie.

Moeilijker te achterhalen zijn de principes die de hedendaagse muziek bezielen. Maar we kunnen met zekerheid zeggen dat de aard van het smachten, van het erotisch idealisme dat in de vroegere romantische muziek zo gewoon was, verdwenen is, waarschijnlijk voorgoed, net als de heroïsche strijd en het streven naar transcendentie.

De populaire muziek van de twintigste eeuw wordt gekenmerkt door een nieuwbakken geworteldheid in lichamelijke ervaring. Als we terugkij-

---

rondschuifelen achter het prikkeldraad van Guantánamo Bay, niet zozeer de schande, de ongenade van het leven in deze tijden, als wel iets anders,

---

Señor C heb ik de indruk dat hij de grens van grijs naar zwart overschrijdt, naar het allerzwartste dat er is.

Heb je hier wel goed over nagedacht, Alan? zeg ik. Heb je erover nagedacht en weet je zeker dat je ermee door wilt gaan? Want eerlijk, ik weet niet zeker of ik aan jouw kant sta.

Ik vraag je niet om aan mijn kant te staan, liefje. Ik kan het heel goed

ken vanaf de twintigste eeuw, zien we met verbazing hoe een van ritme gespeende notie van dans volstond, eerst voor de aristocratische hoven van Europa, later voor de Europese bourgeoisie. De hofdansen van Rameau, Bach en Mozart, om nog maar te zwijgen van Beethoven, klinken naar hedendaagse maatstaven behoorlijk leemvoetig. Zelfs de musici van het eind van de achttiende eeuw werden ongedurig van deze stand van zaken en gingen eens zien of ze geen dansen konden importeren die ritmisch uitdagender waren. Telkens opnieuw grepen ze terug op de muziek van het Europese platteland, van zigeuners, van de Balkan en Turkije en Centraal-Azië, om de ritmen van de 'hoge' Europese muziek te vernieuwen. Deze praktijk bereikte haar hoogtepunt in het ostentatieve primitivisme van Stravinski's *Le sacre du printemps.*

Maar de echt grote vernieuwing van de populaire muziek vond plaats in de Nieuwe Wereld, via de muziek van slaven die hun Afrikaanse wortels niet waren kwijtgeraakt. Vanuit Noord- en Zuid-Amerika verspreidden de Afrikaanse ritmen zich over het hele Westen. Het is niet overdreven te zeggen dat onder invloed van de Afrikaanse muziek westerlingen op een nieuwe manier in en door hun lichaam begonnen te leven. De kolonisatoren werden uiteindelijk gekoloniseerd. Zelfs een zo ritmisch bedreven iemand als Bach zou zich niet op zijn plaats voelen, als bevond hij zich op een ander continent, als hij vandaag de dag herboren zou worden.

De romantische muziek probeerde een verloren gegane staat van vervoerdheid terug te krijgen (wat niet hetzelfde is als vervoering), een staat van exaltatie waarin het menselijk omhulsel zou worden afgeworpen en men louter wezen of louter geest zou worden. Vandaar het voortdurende

---

iets nietigers en hanteerbaarders, een te grote of te kleine dosis amine in de hersenschors die vagelijk als *depressie* zou kunnen worden betiteld of

---

alleen af. Als het je niet bevalt wat ik doe, vergeet dan gewoon dat dit gesprek ooit heeft plaatsgevonden. Ga door met wat je deed. Doe zijn typewerk. Klets met hem. Wees aardig. Wees vriendelijk. Ik zorg voor de rest.Vergeet dit gesprek. Drie ton per jaar die, vermoedelijk niet opgegeven, naar een of andere bankrekening van Alan zal druppelen. En als de oude man doodgaat, duikt het geld op magische wijze weer op zijn

streven in de romantische muziek: ze probeerde altijd verder te gaan (is er geen stuk van Mendelssohn dat 'Auf Flügeln des Gesanges' heet – de aan de aarde gebonden dichter die ernaar verlangt om te vliegen?) Men begint begrip te krijgen voor de grondslag van het romantische enthousiasme voor Bach. Bach toonde op een karakteristieke manier hoe in vrijwel elke muzikale kiem, hoe eenvoudig ook, eindeloze mogelijkheden voor ontwikkeling besloten liggen. Het contrast met populairdere componisten van zijn tijd is duidelijk: bij Telemann, bijvoorbeeld, klinkt een muziekstuk eerder als de uitvoering van een plan dan als de verkenning van een mogelijkheid.

Gaat het te ver om te zeggen dat van de muziek die wij romantisch noemen een erotische inspiratie uitgaat – dat ze onophoudelijk verder duwt, de luisteraar in staat probeert te stellen het lichaam achter zich te laten, zich te laten meevoeren (als luisterend naar vogelzang, hemelzang), om een levende ziel te worden? Als dat waar is, zou de erotiek van de romantische muziek niet sterker kunnen verschillen van de erotiek van vandaag. Bij jonge geliefden van tegenwoordig valt niet de geringste flikkering van die oude metafysische honger te bespeuren, die als codewoord voor zichzelf smachten (*Sehnsucht*) gebruikte.

---

nog vager als *somberheid* en in slechts enkele minuten verdreven zou kunnen worden door de juiste cocktail van de chemicaliën X, Y en Z.

---

bankrekening op, tot de laatste cent, het echte geld, de echte getallen, niet de fictieve die Alan vanuit flat 2514 boven zal invoeren; terwijl tegelijkertijd de stichting, de mythische Zwitserse stichting, weer in de Alpenmist verdwijnt.

Het is oplichting, dat is wel zeker. Het kan ook, in zekere zin, en op voorwaarde dat de effectenbeurs zich voorspelbaar gedraagt, dat wil zeggen, volgens de wetten van de waarschijnlijkheid, geen kwaad. Krijg ik zo een glimp te zien van hoe Alan zijn dagen doorbrengt: met het uithalen

28. Over toerisme

In 1904, op negentienjarige leeftijd, schreef Ezra Pound zich in voor een studie Provençaals aan Hamilton College in de staat New York. Van Hamilton ging hij naar de Universiteit van Pennsylvania om zijn linguïstische studie te vervolgen. Zijn ambitie was om romanist te worden, met als specialisatie de poëzie van de late middeleeuwen.

Als studievak was Provençaalse literatuur honderd jaar geleden meer in zwang dan vandaag de dag. Mensen met een seculier humanistische instelling herleidden de geest van de beschaving, de moderne westerse beschaving, via het dertiende-eeuwse Italië en het twaalfde-eeuwse Frankrijk tot het oude Griekenland. Athene definieerde de beschaving; de Provence en het quattrocento herontdekten Athene. In de ogen van Pound stond de Provence voor een van de zeldzame momenten waarop leven en kunst en religieuze aandrift samenwerkten om de beschaving tot grote bloei te brengen, voordat de pauselijke persecuties de oude duisternis weer inluidden.

In 1908 ging Pound voor het eerst scheep naar Europa, waar hij zich bezighield met literaire zaken en onderwijl zijn Romaanse onderzoek voortzette. In 1912 ondernam hij een rondreis in de voetsporen van zijn helden, de troubadours. Het eerste deel van de reis omvatte Poitiers, Angoulême, Périgueux en Limoges. Het tweede leidde van Uzerche naar Souillac, en vervolgens naar Sarlat, Cahors, Rodez, Albi en Toulouse. Van Toulouse

---

Ik zou mijn meningen grondig moeten herzien, dat is wat ik zou moeten doen. Ik zou de oude, sleetse eruit moeten ziften en nieuwe, moderne moeten zoeken om ze te vervangen. Maar waar moet je heen

---

van oneerlijke maar (hopelijk) onschadelijke trucs met andermans geld? Deel ik mijn leven met een beroepszwendelaar? Zal de politie op een ochtend aankloppen en Alan meesleuren met zijn jasje over zijn hoofd; en zullen fotografen hun tenten aan de overkant van de weg opslaan tot ze een plaatje van de vriendin van de verdachte kunnen schieten?

Het zijn maar katten en honden, Anya, zegt hij, terwijl hij om me heen loopt, van achteren op me toe komt, zijn armen om me heen slaat,

reisde hij verder naar Foix, Lavelanet, Quillan en Carcassonne, en vandaar naar Béziers.

Zijn plan was om de rondreis als materiaal te gebruiken voor een reisboek annex cultuurgeschiedenis met als titel *Gironde*. De uitgever bij wie hij onder contract stond, beëindigde echter zijn bedrijf, en het boek werd nooit geschreven. Het enige dat nog over is, zijn enkele notitieboekjes, die nu tot de collectie van Yale behoren en waaruit Richard Sieburth fragmenten heeft getranscribeerd en gepubliceerd.

Pound scheen te geloven dat hij de poëzie van de troubadours pas op waarde zou kunnen schatten als hij de wegen had bereisd en de landschappen had gezien die zijn dichters vertrouwd waren. Op het eerste gezicht lijkt dit redelijk. Het probleem is alleen dat details over landschappen niet voorkomen in hun poëzie. We komen wel vogels en bloemen tegen, maar dat zijn naamloze vogels, naamloze bloemen. We weten wat de troubadours moeten hebben gezien, maar we weten niet wat ze zagen.

Een jaar of tien geleden heb ik, in het spoor van Pound en zijn dichters, over enkele van diezelfde wegen gefietst, met name (verschillende keren) over de weg tussen Foix en Lavelanet langs Roquefixade. Wat ik daarmee heb bereikt weet ik niet precies. Ik weet niet eens precies wat mijn illustere voorganger verwachtte te bereiken. Vertrekpunt voor ons beiden was het feit dat schrijvers die belangrijk voor ons waren (de troubadours voor Pound, Pound voor mij) werkelijk waren geweest waar wij waren, in levenden lijve; maar geen van beiden leken of lijken we in staat om in onze geschriften aan te tonen waarom of hoe dat van belang was.

---

om moderne meningen te vinden? Naar Anya? Naar haar geliefde en morele leidsman, de effectenmakelaar Alan? Kun je verse meningen op de markt kopen? Worden oude mannen met een strompelig intellect en

---

zachtjes in mijn oor praat. In het ergste geval katten en honden waar sensoren en infusen en stukken draad uit hangen. Wat kan het voor kwaad? In het slechtste scenario, als er een onvoorziene kink in de kabel komt, sluiten we de boel gewoon af en wordt alles weer zoals het was.

Het ergste geval is veel erger dan dat, Alan. Zoals je zelf zou snappen als je even de tijd nam om na te denken.

Voor mij was het enige buitengewone aan het voor het eerst zien van Roquefixade de constatering hoe gewoon Roquefixade was; een zoveelste punt op de reusachtige aardbol. Ik kreeg er geen rillingen van. Ik bespeur ook geen teken dat Pound er rillingen van kreeg. De waarnemingen tijdens zijn rondreis van 1912 die indruk op hem maakten, die in zijn herinnering bleven en hun weg naar zijn poëzie vonden, zijn heel willekeurig: een tourniquet die een pad aankondigde dat nergens heen leidde, bijvoorbeeld (zie de fragmenten aan het eind van de *Cantos*).

De aard van het toerisme is sinds 1912 veranderd. Het idee in de voetsporen van X of Y te treden is van minder belang geworden naarmate historische gebeurtenissen verward zijn geraakt met heropvoeringen van historische gebeurtenissen, oude ('historische') voorwerpen met simulacres van oude voorwerpen (Viollet-le-Duc die de muren van Carcassonne heeft herbouwd). Fietsend over de wegen van de Languedoc was ik waarschijnlijk de enige binnen een straal van honderdvijftig kilometer die in enigerlei zin eer bewees aan de grote doden.

---

slechte ogen en jichtige handen op de marktvloer toegelaten, of lopen we daar alleen de jongeren maar in de weg?

Ik heb de tijd genomen om na te denken. Ik heb lang en hard nagedacht. Ik voorzie niet dat er iets ergers kan gebeuren dan het ergste waarmee ik rekening houd. Verklaar je nader.

Ik zou op een andere manier naar je kunnen gaan kijken. Heb je daaraan gedacht? Alan, ik wil je één ding plechtig verklaren: als je doorgaat met dat plannetje van je, wordt het nooit meer hetzelfde tussen ons.

29. Over Engelse uitdrukkingen

Enige tijd geleden begon ik met het samenstellen van een lijst met modieuze uitdrukkingen in het hedendaagse Engels. Boven aan de lijst stond het antonieme koppel *appropriate/inappropriate* (gepast/ongepast), de term *going forward* (voortschrijdend) en het alomtegenwoordige samengestelde voorzetsel *in terms of* (in termen van).

Inappropriate, zo constateerde ik, is *bad* (slecht) of *wrong* (verkeerd) gaan vervangen in het taalgebruik van mensen die hun afkeuring willen laten blijken zonder de indruk te wekken dat ze een moreel oordeel vellen (voor zulke mensen dient een moreel oordeel op zichzelf vermeden te worden als zijnde ongepast). Dus: 'Ze getuigde dat de onbekende haar op een ongepaste manier had aangeraakt.'

Going forward, dat *in future* (toekomstig) of *in the future* (in de toekomst) vervangt, wordt gebruikt om te suggereren dat de spreker de toekomst vol optimisme en energie tegemoet ziet. 'Ondanks de teleurstellende cijfers van dit kwartaal verwachten wij een snel voortschrijdende uitbreiding.'

Minder gemakkelijk te verklaren is het voor alle doeleinden geschikte voorzetsel *in terms of*: 'Ze hebben veel geld verdiend *in termen van* (in plaats van *aan*) steekpenningen'; 'Ze hebben veel geld verdiend *in termen van* (in plaats van *door middel van*) omkoperij'; 'Ze hebben veel geld verdiend *in termen van* (in plaats van *onder*) valse voorwendsels'; 'Ze hebben veel geld verdiend *in termen van* (in plaats van *met*) intelligente investeringen'; 'Ze hebben veel geld verdiend *in termen van* (in plaats van *door... te*) intelligent investeren.'

PS, schreef ik. *Een nieuwtje. Ik ben begonnen met het samenstellen van een tweede, zachtaardiger serie meningen. Ik zal ze je graag laten zien als dat je kan*

We hebben nog nooit ruzie gehad, Alan en ik, nooit echt. We zijn een evenwichtig stel. Omdat we evenwichtig zijn, omdat we geen onredelijke verwachtingen hebben, omdat we geen onredelijke eisen stellen, hebben we een geslaagde relatie. We zijn door de wol geverfd, hij en ik, we weten hoe de zaken ervoor staan. Ik geef hem de ruimte, hij geeft mij de ruimte. Ik ga niet op zijn tenen staan, hij gaat niet op de mijne staan. Dus wat

De grondgedachte lijkt de volgende. De onderliggende logische vorm van de verklarende zin is mededelend, dat wil zeggen, de zin kan worden ontleed in een onderwerp plus een gezegde dat iets over het onderwerp zegt. Met het gezegde kan een aantal argumenten verbonden zijn. Deze argumenten kunnen al dan niet de vorm van voorzetselzinnen aannemen. In het geval van een voorzetselzin wordt het specifieke voorzetsel aan het begin van het zinsdeel (in het zinsdeel *aan* steekpenningen het voorzetsel *aan*) min of meer gedicteerd door de gecombineerde semantische inhoud van het werkwoord (*geld verdienen*) en de rest van de voorzetselzin (*steekpenningen*). Zodoende bevat het voorzetsel zelf maar weinig informatie; de semantische waarde kan net zo goed nihil zijn.

Op grond van zo'n redenering kun je aanvoeren dat er in feite maar weinig behoefte is aan een scala van voorzetsels met elk een eigen betekenis: het enige dat we nodig hebben, is een voor alle doeleinden geschikt teken dat het begin van een voorzetselzin aankondigt. *In terms of* vervult die functie.

Het opgaan van het oude voorzetselrepertoire in één voorzetsel suggereert dat er een vooralsnog onuitgesproken beslissing is genomen door een invloedrijke groep Engelstaligen: dat de mate van specificiteit die door het goedgekeurde Engelse taalgebruik wordt geëist onnodig is voor strikte communicatiedoeleinden, en daarom dat een mate van simplificering aan de orde is.

In de simplificering van de overeenstemmingsregel tussen onderwerp en werkwoord zien we een vergelijkbare ontwikkeling: *'Fear of terrorist attacks are affecting travel plans'* ('Angst voor terreuraanvallen beïnvloeden

---

overhalen om terug te komen. In sommige ervan zijn suggesties overgenomen die jij terloops hebt gedaan. Een zachtaardige mening over vogels, bijvoorbeeld. Een

---

gebeurt er dan nu met ons? Zijn we tegen wil en dank in onze eerste grote ruzie verzeild geraakt?

Het is alsof Alan mijn gedachten kan lezen. Is dit een ruzie, Anya? zegt hij. Want zo ja, dan is 't het niet waard. Ik zal het plan opgeven, dat beloof ik, als jij dat echt wilt. Kalmeer nu maar. Slaap er een nachtje over. Denk na. Vertel me morgen wat je besluit. Maar denk eraan: het zijn maar

reisplannen'). De nieuwe overeenstemmingsregel die opgeld doet, lijkt te zijn dat het getal van het werkwoord niet door het onderwerp wordt bepaald maar door het getal van het zelfstandig naamwoord dat er het dichtst aan voorafgaat. Misschien zijn we op weg naar een grammatica (een zich eigen gemaakte grammatica) waarin het begrip *grammaticaal onderwerp* niet aanwezig is.

Mijn aantekeningen over deze ontwikkelingen in het taalgebruik namen in lengte toe, en wel zodanig dat ze tot een essay begonnen uit te groeien. Maar met wat voor essay was ik bezig: een objectieve taalkundige analyse of een verhuld schotschrift over afkalvende normen? Kon ik een wetenschappelijk afstandelijke toon volhouden, of zou onontkoombaar bezit van mij worden genomen door de geest waarin Flaubert zijn *Woordenboek van pasklare ideeën* schreef, een geest van machteloze verachting? Hoe dan ook, zou een essay dat in een of ander Australisch blad werd gepubliceerd meer effect op het alledaagse Engelse taalgebruik hebben dan Flauberts verheven laatdunkende aantekeningen op het gebruikelijke denken van de bourgeoisie van zijn tijd? Valt het argument dat rommelig handelen te herleiden is tot rommelig denken, en rommelig denken tot rommelige taal – een argument dat prescriptieve leraren lief is – werkelijk vol te houden? De meeste bètawetenschappers hebben van schrijven geen kaas gegeten, maar wie kan er in zijn beroepsleven exacter denken dan zij? Zou de ongemakkelijke waarheid (ongemakkelijk voor mensen die in taalkundige correctheid hebben geïnvesteerd) niet zijn dat gewone mensen de taal precies zo gebruiken als volgens hen door de omstandigheden wordt vereist, dat de proef op de som voor hen is of hun gesprekspartner begrijpt wat ze

---

zachtaardige mening over de liefde, althans over het kussen van een heer en een dame. Kan ik je verleiden om er een blik op te werpen?

---

honden en katten. En ratten. Het is de antivivisectiebond van Australië. Zo heet die. Niet Unesco. Niet Oxfam. Het is een stelletje oude vrouwen in één enkel kantoortje in Surry Hills met een bureau en een Remington-schrijfmachine en een doos stoffige oude pamfletten en een kooi in de hoek vol ratten met draden in hun kop. Dat is waar je voor wilt vechten, tegen mij. Dat is wie je wilt redden. Drie miljoen dollar. Ze zouden geen

bedoelen, dat een gesprekspartner die dezelfde taal spreekt als zij (hun sociale en vakmatige dialect) in de meeste gevallen snel en gemakkelijk en met succes hun bedoeling kan achterhalen (die overigens zelden ingewikkeld is) en dat daarom gebrekkige overeenstemmingsregels of syntactische rariteiten (*'The fact is, is that...'* 'Het feit is, is dat...') in de praktijk geen verschil maken? Zoals gewone sprekers zo vaak zeggen als ze niet meer uit hun woorden kunnen komen: 'Je weet wel wat ik bedoel.'

Als ik naar mijn oudere tijdgenoten kijk, zie ik maar al te velen die verteerd worden door knorrigheid, maar al te velen die hun hulpeloze verbijstering over de gang van zaken het hoofdthema van hun laatste jaren laten worden. Zo zullen wij niet worden, beloven we, wij allemaal: wij zullen de les van de oude koning Knut in acht nemen, we zullen genadiglijk wijken voor het tij van de tijden. Maar heus, het valt niet altijd mee.

Het kostte een hele dag wachten – een dag waarin ik zo op van de zenuwen was dat ik geen woord heb geschreven – maar het werkte. De bel

---

flauw benul hebben wat ze ermee aan moesten. Als ze überhaupt nog bestaan. Als ze niet al ten onder zijn gegaan.

Ratten. Niet dat ratten me iets kunnen schelen. Zelfs honden en katten niet, in abstracte zin. En niet dat het Señor C, als hij met zijn nieuwe vleugels en harp in de hemel aan het dollen is, iets zal kunnen schelen wat er met zijn ex-bankrekening gebeurt. Maar toch. Maar toch gebeurt er iets

30. Over gezag in fictie

In de roman heeft de stem die de eerste zin zegt, en daarna de tweede, enzovoort – noem het de stem van de verteller – aanvankelijk geen enkel gezag. Gezag moet verdiend worden; het is aan de romanschrijver om zulk gezag vanuit het niets op te bouwen. Niemand is beter in het opbouwen van gezag dan Tolstoj. In dit opzicht is Tolstoj de exemplarische schrijver.

Aankondigingen van de dood van de auteur en van het auteurschap die een kwart eeuw geleden door Roland Barthes en Michel Foucault werden gedaan, kwamen neer op de stelling dat het gezag van de auteur nooit op meer heeft berust dan een zak vol retorische trucs. Barthes en Foucault ontleenden hun stelling aan Diderot en Sterne, die lang geleden het bedrog van het auteurschap belachelijk maakten. De Russische formalistische critici van rond 1920, van wie met name Barthes veel leerde, concentreerden hun pogingen op het aan de kaak stellen van Tolstoj, meer dan alle andere auteurs, als een praatjesmaker. Tolstoj werd hun exemplarische doelwit omdat Tolstojs manier van verhalen vertellen zo natuurlijk leek, dat wil zeggen, zijn retorische kunstenaarstalent zo goed wist te verhullen.

Als kind van mijn tijd las, bewonderde en imiteerde ik Diderot en Sterne. Maar het lezen van Tolstoj gaf ik nooit op, net zomin als ik mezelf er ooit van kon overtuigen dat zijn effect op mij alleen maar een gevolg van zijn retorische vaardigheid was. Ik las hem met onbehaaglijke, zelfs beschaamde aandacht, zoals ook (naar ik nu geloof) de formalistische critici die in de twintigste eeuw de scepter zwaaiden, in hun vrije tijd de mees-

---

ging. Daar stond ze, helemaal in het wit, ogen neergeslagen, armen voor haar borst geklemd. Mijn liefste Anya, zei ik, wat ben ik blij je te zien; en ik

---

tussen Alan en mij wat niet goed is. Ik maak me los uit zijn armen en kijk hem in zijn gezicht. Is dit je ware gezicht, Alan? zeg ik. Geef me serieus antwoord. Is dit het soort mens dat je werkelijk bent? Want –

Hij valt me in de rede. Hij schreeuwt niet, maar er is een trilling in zijn stem alsof hij zich moet inhouden. Anya, ik laat het idee hier en nu varen, zegt hij. En daarmee uit. Geen discussie meer. Het was maar een idee, en

ters van het realisme bleven lezen; met schuldbewuste fascinatie (Barthes' eigen antitheoretische theorie over het leesplezier werd, naar ik vermoed, opgesteld om het duistere plezier te verklaren en te rechtvaardigen dat Zola hem verschafte.) Nu het stof is neergedaald, blijft het mysterie van het gezag van Tolstoj, en van het gezag van andere grote schrijvers, onaangetast.

In zijn latere jaren werd Tolstoj niet alleen als een groot auteur behandeld, maar ook als een autoriteit op het gebied van het leven, als een verstandig man, een wijze. Zijn tijdgenoot Walt Whitman viel een soortgelijk lot te beurt. Maar geen van beiden had veel wijsheid in pacht: met wijsheid hielden ze zich niet bezig. Ze waren in de eerste plaats dichters; verder waren ze gewone mannen met gewone, feilbare meningen. De discipelen die hen omzwermden op zoek naar verlichting lijken achteraf bezien treurige dwazen te zijn geweest.

Het meesterschap van de grote schrijvers ligt in het gezag dat ze hebben. Wat is de bron van dit gezag, of wat de formalisten het autoriteitseffect noemden? Als gezag eenvoudigweg kon worden verworven door retorische trucs, dan had Plato groot gelijk dat hij dichters uit zijn ideale republiek verbande. Maar stel dat gezag alleen kan worden verkregen door het dichterlijke zelf voor een hogere kracht open te stellen, door op te houden jezelf te zijn en profetisch te gaan spreken?

---

deed een stapje opzij, ervoor zorgend dat ik niet mijn hand uitstak voor het geval dat ze weer als een schuw vogeltje zou wegvliegen. Ben ik vergeven?

---

nu is het voorbij. Er is niets gebeurd. Hij pakt mijn handen, trekt me naar zich toe, kijkt me diep in de ogen. Ik wil alles voor je doen, Anya, zegt hij. Ik hou van je. Geloof je me?

Ik knik. Maar het is niet waar. Ik geloof hem maar half. De andere helft is duisternis. De andere helft is een donker gat waar een van ons in valt, ik hoop niet ik.

De god kan worden aangeroepen, maar hoeft daarom nog niet te komen. *Leer zonder gezag te spreken,* zegt Kierkegaard. Door Kierkegaards woorden hier over te schrijven, maak ik Kierkegaard gezaghebbend. Het hebben van gezag laat zich niet onderwijzen, laat zich niet leren. De paradox is echt.

Het is geen kwestie van vergeven, zei ze, mijn blik nog steeds ontwijkend. Ik heb gezegd dat ik uw boek voor u zou typen, en ik doe altijd wat ik zeg.

Zeg het hardop, zegt hij. Zeg het luid en duidelijk. Geloof je me?
Ik geloof je, zeg ik, en ik laat me weer door hem in zijn armen nemen.

•

31. Over het hiernamaals

Eén manier om de godsdiensten van deze wereld onder te verdelen is in die welke de ziel als een blijvende entiteit beschouwen en die welke dat niet doen. Bij de eerste blijft de ziel, datgene wat het ik 'ik' noemt, als zichzelf bestaan nadat het lichaam is doodgegaan. Bij de laatste houdt het 'ik' op als zichzelf te bestaan en wordt opgenomen in een grotere ziel.

Het christendom laat zich slechts hoogst aarzelend uit over het leven van de ziel na de dood van het lichaam. De ziel zal eeuwig in de nabijheid van God verkeren, leert het christendom; meer dan dat weten we niet. Soms wordt ons beloofd dat we in het hiernamaals met onze geliefden zullen worden herenigd, maar deze belofte geniet weinig theologische ondersteuning. Voor de rest zijn er alleen maar vage beelden van harpen en koren.

Het is maar goed ook dat de christelijke theorie over het hiernamaals zo karig is. In de hemel arriveert de ziel van een man die een aantal echtgenotes en minnaressen heeft gehad; en elk van deze echtgenotes en minnaressen heeft een aantal echtgenoten en minnaars gehad; en elk van die echtgenoten en minnaars... Wat zal voor zielen in deze melkweg de hereniging met hun geliefden betekenen? Zal de ziel van de echtgenote de eeuwigheid niet alleen moeten doorbrengen met de ziel van haar geliefde echtgenoot maar ook met de ziel van de verafschuwde minnares die in het domein van het tijdelijke de andere geliefde van haar echtgenoot was? Zullen zij die velen hebben liefgehad van een rijker leven na de dood kunnen genieten dan zij die maar weinigen hebben liefgehad; of zullen onze geliefden worden gedefinieerd als zij van wie we tijdens onze laatste dag op aarde hielden, en zij alleen? Zullen in dat laatste geval diegenen onder ons die hun laatste dag in pijn en vrees en eenzaamheid hebben doorgebracht zonder de luxe te beminnen of bemind te worden, eeuwige eenzaamheid tegemoet moeten zien?

Ongetwijfeld zal de theoloog, als theoreticus van het hiernamaals, antwoorden dat het soort liefde dat wij daarginds zullen voelen onkenbaar voor ons is zoals we nu zijn, zoals ook de identiteit die we zullen hebben onkenbaar is, en de manier waarop we betrekkingen met andere zielen aanknopen, zodat we onze speculaties net zo goed kunnen staken. Maar als 'ik' in het volgende leven een soort bestaan zal leiden dat 'ik' zoals ik nu ben onmogelijk kan begrijpen, dan zouden de christelijke kerken zich moeten ontdoen van de doctrine van de hemelse beloning, de belofte dat goed gedrag in het huidige leven zal worden beloond met hemelse gelukzaligheid in het volgende; wie ik nu ook ben, zal ik dan niet zijn.

De vraag van de blijvende identiteit is nog crucialer voor de theorie over eeuwige straf. Ofwel de ziel in de hel heeft een herinnering aan een eerder leven – een vergooid leven – of ze heeft die niet. Heeft ze zo'n herinnering niet, dan moet eeuwige verdoemenis voor die ziel de ergste, meest willekeurige onrechtvaardigheid in het universum zijn, het bewijs zelfs dat het universum slecht is. Alleen de herinnering aan wie ik was en aan hoe ik mijn tijd op aarde heb doorgebracht zal de gevoelens van oneindige spijt toelaten die de kwintessens van de verdoemenis heten te zijn.

Het is verbazingwekkend dat het idee van een individueel hiernamaals in intellectueel respectabele versies van het christendom blijft voortbestaan, omdat het op zo'n doorzichtige manier een leemte vult – een onvermogen om zich een wereld voor te stellen waarin de denker afwezig is. Een godsdienst zou een dergelijk onvermogen eenvoudigweg als een onderdeel van de menselijke staat moeten aanmerken en het daarbij moeten laten.

Het voortbestaan van de ziel in een onherkenbare vorm, onbekend aan zichzelf, zonder herinnering, zonder identiteit, is een geheel andere kwestie.

TWEE

Tweede dagboek

1. Een droom

Een verontrustende droom vannacht.

Ik was dood maar had de wereld nog niet verlaten. Ik was in het gezelschap van een vrouw, een van de levenden, jonger dan ikzelf, die bij me was geweest toen ik doodging en begreep wat er met me gebeurde. Ze deed haar best om de schok van de dood te verzachten en schermde me onderwijl af voor andere mensen, mensen die niet gaven om degene die ik geworden was en wilden dat ik meteen zou vertrekken.

Ondanks haar beschermende houding loog deze jonge vrouw niet tegen me. Ook zij maakte duidelijk dat ik niet kon blijven; en ik wist inderdaad dat mijn tijd maar kort was, dat ik hooguit nog een dag of twee had, dat geen enkele mate van protesteren en huilen en vastklampen daar iets aan kon veranderen.

In de droom beleefde ik de eerste dag van mijn dood, nauwlettend luisterend naar tekenen dat mijn dode lichaam het begaf. Er waren heel zwakke sprankjes hoop toen ik zag hoe goed ik op de eisen van het alledaagse inspeelde (ik zorgde er echter wel voor dat ik me niet inspande).

Toen, op de tweede dag, terwijl ik stond te plassen, zag ik de straal van

---

Gistermorgen een klop op de deur. De huismeester, Vinnie, in zijn mooie blauwe uniform. Een briefje voor u, zegt hij. Een briefje? zeg ik. Van de meneer van 108, zegt hij. Bezorgd door u? zeg ik. Bezorgd door mij, zegt Vinnie, die niet van gisteren is. Wat raar, zeg ik.

Het briefje, dat net zo goed in onze brievenbus had kunnen worden gegooid of door een simpel telefoontje vervangen had kunnen worden, maar nee, Señor C gelooft niet in de telefoon, luidt: *Goed nieuws. Ik heb net het manuscript verstuurd waar jij en ik zo lang op hebben gezwoegd. Dat moet gevierd worden. Mag ik jou en je man dus uitnodigen voor een drankje en een hapje bij mij morgenavond, vrijdag, rond een uur of 7? De catering zal worden verzorgd door de uitstekende mensen van Federico's. Beste groeten, JC.*
PS – Ik hoop dat dit niet te plotseling is.

Ik liet het briefje aan Alan zien. Zal ik het afwimpelen? zei ik. Ik kan eerlijk tegen hem zijn. Dat heb ik wel verdiend. Ik kan tegen hem zeggen,

geel in rood veranderen en wist toen dat het allemaal waar was, dat dit geen droom was, zogezegd. Even later hoorde ik mezelf zeggen, alsof ik buiten mijn lichaam stond: 'Ik kan deze pasta niet eten.' Ik duwde het bord dat voor me stond opzij en wist terwijl ik dat deed dat als ik geen pasta kon eten ik niets kon eten. De interpretatie die ik aan mijn woorden gaf, was in feite dat mijn inwendige organen onherstelbaar aan het aftakelen waren.

Dat was het moment waarop ik wakker werd. Ik wist meteen dat ik had gedroomd, dat de droom een behoorlijke tijd was doorgegaan, in hetzelfde tempo als het vertellen ervan, dat het een droom over mijn eigen dood was, dat ik geluk had dat ik eruit kon ontwaken – *Ik heb nog tijd te gaan*, fluisterde ik tegen mezelf – maar dat ik niet meer durfde te gaan slapen (hoewel het midden in de nacht was), omdat weer gaan slapen teruggaan naar de droom zou betekenen.

Een intrigerend idee: een roman schrijven vanuit het perspectief van een man die is doodgegaan, die weet dat hij nog twee dagen heeft voordat hij – dat wil zeggen, zijn lichaam – bezwijkt en begint te rotten en te stinken, die in die twee dagen niets anders hoopt te bereiken dan nog even doorleven, wiens momenten allemaal gekleurd zijn door verdriet. Sommige mensen in zijn wereld zien hem eenvoudig niet (hij is een geest). Andere zijn zich hem bewust; maar hij straalt iets van overbodigheid uit, zijn aanwezigheid irriteert hen, ze willen dat hij weggaat en hen laat doorgaan met hun leven.

---

sorry, we zullen ons niet op onze plaats voelen, we zullen ons niet vermaken.

Nee, antwoordde Alan. We gaan wel. Hij maakt een gebaar, wij maken ook een gebaar. Dat is een kwestie van beleefdheid. Zo gaat beleefdheid in haar werk. Je hebt relaties met mensen, ook al heb je een hekel aan ze.

Ik snap niet hoe je zo'n hekel aan Señor C kunt hebben als je nog nooit een echt gesprek met hem hebt gevoerd.

Omdat ik hem ken. Ik ken zijn type. Als ze die Señor C van jou voor een dag dictator zouden maken, zou zijn eerste daad zijn dat hij mij tegen de muur liet zetten en liet doodschieten. Is dat niet voldoende reden om een hekel aan iemand te hebben?

Een van hen, een vrouw, heeft een gecompliceerde houding. Hoewel het haar spijt dat hij gaat, hoewel ze begrijpt dat hij een afscheidscrisis doormaakt, is ze het ermee eens dat het voor hemzelf en iedereen het beste zou zijn als hij zijn lot aanvaardde en vertrok.

Een titel in de trant van 'Verlatenheid'. Je hecht je aan het geloof dat er ergens iemand is die genoeg van je houdt om zich aan je vast te klampen, om te voorkomen dat je wordt weggerukt. Maar dat geloof is vals. Alle liefde heeft haar grenzen, uiteindelijk. Niemand gaat met je mee.

Het verhaal van Eurydice is verkeerd begrepen. Waar het verhaal over gaat, is de eenzaamheid van de dood. Eurydice bevindt zich in de hel in haar lijkwade. Ze gelooft dat Orpheus genoeg van haar houdt om haar te komen redden. En Orpheus komt inderdaad. Maar uiteindelijk is de liefde die Orpheus voelt niet sterk genoeg. Orpheus laat zijn geliefde achter en keert terug naar zijn eigen leven.

Het verhaal van Eurydice herinnert ons eraan dat we vanaf het moment van de dood ieder vermogen verliezen om onze metgezellen te kiezen. We worden weggezwiept naar het lot dat ons is toebedeeld; het is niet aan ons om te beslissen aan wiens zijde we de eeuwigheid ingaan.

De Griekse kijk op het hiernamaals komt me waarachtiger voor dan de christelijke visie. Het hiernamaals is een treurig en getemperd oord.

Waarom zou hij dat doen? Waarom zou hij jou willen doodschieten?

Ten eerste omdat mensen als ik de wereld hebben overgenomen van mensen als hij, wat maar goed is ook; en ten tweede omdat jij dan geen enkele bescherming meer zult hebben tegen zijn seniele wellust.

Doe niet zo gek, Alan. Hij wil me knuffelen op zijn knie. Hij wil mijn grootvader zijn, niet mijn minnaar. Ik zal nee tegen hem zeggen. Ik zal hem zeggen dat we niet kunnen komen.

Nee, geen sprake van. We gaan wel.

Wil je gaan?

Ik wil gaan.

Dus gingen we. We verwachtten een groot gezelschap. We verwachtten

2. Over fanmail

Bij de post vandaag een pakketje met het poststempel Lausanne, dat een handgeschreven brief bevat van zo'n zestig pagina's lang in de vorm van een dagboek. De schrijver, een vrouw, anoniem, begint met me te complimenteren met mijn romans, maar wordt dan kritischer. Ik begrijp niets van vrouwen, zegt ze, vooral niet van de seksuele psychologie van een vrouw. Ik zou me moeten beperken tot mannelijke personages.

Ze vertelt over een herinnering die ze bewaart aan haar kindertijd, aan haar vader die stiekem haar geslachtsdelen bekijkt terwijl zij in bed ligt en doet alsof ze slaapt. Terugkijkend, zegt ze, ziet ze in dat dat voorval haar voor de rest van haar leven heeft getekend door seksuele gevoelens van haar kant onmogelijk te maken en een kiem van wraakzucht jegens mannen in haar hart te planten.

De schrijfster lijkt van gevorderde middelbare leeftijd te zijn. Er is sprake van een zoon van in de dertig, maar geen verwijzing naar een man. Het document is aan mijn naam en adres gericht, maar zou na de eerste paar pagina's aan iedereen in het universum geadresseerd kunnen zijn, iedereen die bereid is haar jammerkreten aan te horen. Ik beschouw het als een

---

---

literair Sydney. We doften ons op. Maar toen de deur openging, stond daar Señor C in zijn stinkende oude jasje. Hij schudde Alan de hand. Wat goed dat je gekomen bent, zei hij. Een discreet dubbel kusje voor mij, één kusje per wang. Op de achtergrond een wachtende jonge vrouw in het zwart met een wit schortje en een dienblad. Neem een glas champagne, zei Señor C.

Drie glazen. Waren we de enige gasten?

Het einde van een tunnel, zei Señor C tegen Alan. Ik kan je niet zeggen wat een steun en toeverlaat jouw Anya was tijdens die duistere tocht.

Het is interessant wanneer mannen een show voor elkaar opvoeren. Dat zie ik ook bij Alans vrienden. Als Alan me meeneemt naar een of andere kantoorbijeenkomst, zeggen zijn vrienden niet: *Wat een lekker wijf heb je daar bij je! Wat een tieten! Wat een benen! Leen haar mij vannacht! Dan mag jij de mijne!* Ze zeggen het niet, maar dat flitst er wel tussen hen over en weer. Ontelbaar zijn de verhulde en niet zo verhulde voorstellen die me

brief in een fles, niet de eerste die op mijn kust aanspoelt. Gewoonlijk beweren de schrijfsters (het zijn alleen vrouwen die deze missives lanceren) dat ze mij schrijven omdat mijn boeken hen rechtstreeks aanspreken; maar algauw blijkt dat de boeken alleen aanspreken op de manier waarop met elkaar fluisterende onbekenden het over jou lijken te hebben. Dat wil zeggen, de bewering heeft iets van een waandenkbeeld en geeft blijk van een paranoïde manier van lezen.

De vrouw uit Lausanne klaagt vooral over eenzaamheid. Ze heeft een beschermend ritueel voor zichzelf ontworpen door zich 's avonds terug te trekken in bed met muziek op de achtergrond en knus te gaan liggen lezen in een boek, gedompeld in wat ze tegen zichzelf gelukzaligheid noemt. Daarna, als ze over haar situatie begint na te denken, verandert de gelukzaligheid in onrust. Is dit echt het beste dat het leven te bieden heeft, vraagt ze zich af – alleen in bed liggen met een boek? Is het wel zo prettig om een zich behaaglijk voelende, welgestelde burger van een modeldemocratie te zijn, veilig in haar huis in het hart van Europa? Haars ondanks wordt ze steeds geagiteerder. Ze staat op, trekt kamerjas en pantoffels aan en pakt haar pen.

Wie zaait, zal oogsten. Ik schrijf over rusteloze zielen, en zielen in verwarring beantwoorden mijn roep.

---

door Alans zogenaamde vrienden zijn gedaan, niet waar Alan bij is maar waar Alan zich wel tot op zekere hoogte van bewust is, want daar ben ik voor, daarom koopt hij nieuwe kleren voor me en neemt hij me mee; daarom geilt hij naderhand ook zo op me, als hij me nog steeds door andermans ogen kan zien als een nieuw en verleidelijk en verboden iemand.

Zodoende zegt Señor C, die tweeënzeventig is en de controle over zijn fijne motoriek verliest en waarschijnlijk in zijn broek piest: *Wat een steun en toeverlaat was jouw Anya!* en Alan leest meteen wat het in jongenscode betekent: *Dank je dat je je vriendin bij mij op bezoek hebt laten komen en voor mijn ogen over haar heupen hebt laten strijken en haar geur onder mijn neusvleugels hebt laten zweven; ik droom van haar, ik begeer haar op mijn seniele manier, wat een man moet jij zijn, wat een hengst, om zo'n vrouw te hebben!*

Ja, antwoordt Alan, ze is behoorlijk goed in wat ze doet; en Señor C heeft de hint onmiddellijk door, zoals de bedoeling is.

3. Mijn vader

Gisteren zijn vanuit hun opslagplaats in Kaapstad de laatste pakketten aangekomen, voornamelijk boeken waarvoor ik geen plaats had en papieren die ik niet een-twee-drie wilde vernietigen.

Er was een kleine kartonnen doos bij die in mijn bezit is gekomen toen mijn vader dertig jaar geleden overleed. Er zit nog steeds een etiket op, geschreven door de buurvrouw die zijn bezittingen had ingepakt: 'ZC – Diverse spullen uit laden.' Er zaten aandenkens in aan zijn periode met de Zuid-Afrikaanse strijdkrachten in Egypte en Italië tijdens de Tweede Wereldoorlog: foto's van hemzelf met medesoldaten, insignes en lintjes, een dagboek dat na een paar weken was gestaakt en niet hervat, potloodschetsen van monumenten (de Grote Piramide, het Colosseum) en landschappen (het Po-dal); ook een verzameling Duitse propagandapamfletten. Onder in de doos diverse papieren uit zijn laatste jaren, waaronder op een afgescheurde flard krantenpapier gekrabbelde woorden: 'Kan er wat worden gedaan ik ga dood.'

De *Nachlass* van een man die weinig van het leven vroeg en weinig kreeg, iemand die, hoewel niet ijverig van nature – *gemakzuchtig* zou het vriendelijkste woord zijn – vanaf zijn middelbare leeftijd berustte in een cyclus van saai geploeter met weinig afwisseling. Iemand van de generatie die dankzij de apartheid een beschermd en goed leven kon leiden; maar

---

Het meisje met het schortje bleek de totale catering van Federico's te vertegenwoordigen. Tegen de tijd dat ze binnenkwam met de hapjes had Alan al twee glazen champagne achterovergeslagen, en daarmee was de toon voor de avond gezet. Ik stopte al vroeg met drinken en Señor C dronk bijna helemaal niet; maar tijdens het diner (gebraden kwartels met minigroenten en zabaglione toe, behalve dat Señor C geen kwartel nam, hij had een walnoten-tofoetaartje) deed Alan een serieuze aanslag op de shiraz.

Zo, Juan, zei hij (Juan? – het was voor het eerst dat ik Señor C zo aangesproken hoorde worden), heb je een voorstel in gedachte?

Voorstel?

wat had hij er weinig van geprofiteerd! Het zou wel heel hardvochtig zijn om hem op de dag des oordeels naar de hellepoel te sturen die voor de slavendrijvers en uitbuiters is gereserveerd.

Net als ik had hij een hekel aan wrijving, uitbarstingen, vertoon van woede, maar bleef liever met iedereen op goede voet. Hij heeft me nooit verteld wat hij van me vond. Maar ik weet zeker dat hij diep in zijn hart geen erg hoge pet van me ophad. Een egoïstisch kind, moet hij hebben gedacht, dat een kille man is geworden; en hoe kan ik het ontkennen?

Maar goed, hier is hij gereduceerd tot dit armzalige doosje met aandenkens; en hier ben ik, hun bewaarder op jaren. Wie zal ze redden als ik er niet meer ben? Wat zal er van ze worden? Mijn hart krimpt ineen bij de gedachte.

Ja, een of ander voorstel. Een gezellige ontmoeting, alleen wij drietjes – je bent vast iets van plan.

Nee, niets, alleen maar om het te vieren.

Ik kreeg in de gaten wat er gebeurde. Zet de andere partij altijd op het verkeerde been, dat is Alans regel één bij het onderhandelen.

En je volgende boek – wat gaat dat worden?

Nog geen plannen voor een volgend boek, Alan. Ik schort de operaties voorlopig op, om te hergroeperen. Daarna zal ik bezien wat er in de toekomst nog mogelijk is.

Dus je hebt mijn vriendin hier niet meer nodig. Wat jammer. Jij en zij konden net zo goed met elkaar opschieten. Ja toch, Anya?

4. Insjallah

'Onder het teken des doods.' Waarom zouden niet al onze uitingen vergezeld gaan van een herinnering aan het feit dat we deze wereld binnen niet al te lange tijd vaarwel zullen moeten zeggen? Tekstuele conventies vereisen dat de bestaanssituatie van de schrijver, die net als die van ieder ander een hachelijke is, en dat op elk moment, wordt losgekoppeld van wat hij schrijft. Maar waarom zouden we altijd buigen voor conventies? Achter elke alinea zou de lezer de muziek van huidige vreugde en toekomstig verdriet moeten kunnen horen. *Insjallah.*

Alan, zei ik. Als hij zich verveelt zet Alan het op een drinken, net als toen hij nog student was, zonder enige finesse, om laveloos te worden. Ik probeer hem niet tegen te houden, omdat ik weet dat dat niet helpt, want het is tegen mij gericht: ik ben degene door wie hij in deze situatie is beland, dus pats-boem, ik moet er maar voor boeten.

Mijn aanbiddelijke vriendin, ging hij verder. Die tegenwoordig zoveel tijd over heeft dat ze niet weet wat ze ermee aan moet. Die zich echt met hart en ziel op het werk heeft gestort dat ze voor je deed. Voordat je je kleine tegenvaller had. Maar je hebt het waarschijnlijk niet gemerkt.

Ik heb het wel gemerkt, zei Señor C. Anya heeft een wezenlijke, een tastbare bijdrage geleverd. Dat waardeer ik.

Je vertrouwt haar toch?

Alan, zei ik.

Laten we van tafel gaan, zei Señor C. Laten we gemakkelijk gaan zitten.

5. Over massa-emotie

De vijfde en laatste testmatch tussen de cricketteams van Engeland en Australië is gisteren geëindigd, en Engeland heeft gewonnen. Onder toeschouwers ter plaatse (de Oval in Londen) en in pubs overal in het land speelden zich vreugdevolle taferelen af, werd spontaan het 'Land of Hope and Glory' et cetera aangeheven. Voorlopig zijn de spelers van het Engelse cricketteam volkshelden, van alle kanten gefêteerd. Ben ik de enige die in hun gedrag voor de camera's een onaantrekkelijke ijdelheid bespeurt, de verwaandheid van niet al te snuggere jongens wier hoofd op hol is gebracht door te veel bewieroking?

Aan deze negatieve kijk ligt een mate van bevooroordeeldheid en zelfs verwarring ten grondslag. Hoewel ik aan mijn achtste decennium ben begonnen, ben ik er nog steeds niet achter hoe mensen het klaarspelen om tegelijkertijd uit te blinken in sportbeoefening en moreel doodgewoon te zijn. Dat wil zeggen, na een levenslange scholing in scepsis schijn ik nog steeds te geloven dat voortreffelijkheid, *arete*, ondeelbaar is. Wat wereldvreemd!

In mijn kinderjaren raakte ik, bijna zodra ik een bal leerde gooien, in de greep van cricket, niet gewoon als een spel maar als een ritueel. Die greep lijkt niet verslapt te zijn, zelfs nu niet. Maar één vraag heeft me van meet af

---

De laatste keer dat ik Anya zag was op de morgen na de noodlottige viering toen die verloofde of beschermer van haar of wat hij ook was de avond gebruikte om mij te beledigen en haar in verlegenheid te brengen. Ze kwam haar excuses aanbieden. Het speet haar dat zij tweeën de avond hadden bedorven, zei ze. Alan had de pest in gekregen – dat was de uitdrukking die ze gebruikte – en als Alan de pest in had, was hij met geen

---

Het liep tegen negenen. We hadden met goed fatsoen weg kunnen gaan. Maar Alan wilde nog van geen weggaan weten. Alan kwam net op dreef. Met een glas in zijn ene hand en een volle fles wijn in de andere liet hij zich in een leunstoel ploffen. Hij krijgt niet genoeg beweging. Hij is pas tweeënveertig, maar als hij drinkt loopt hij rood aan en begint zwaar te ademen, als een man met een zwak hart.

aan voor een raadsel gesteld: hoe zou een wezen van het soort waartoe ik leek te behoren – gereserveerd, kalm, solitair – ooit goed kunnen worden in een spel waarin een heel ander karaktertype leek uit te blinken: nuchter, onbedachtzaam, strijdlustig?

Massale feesttaferelen, zoals die zich in Engeland hebben afgespeeld, gunnen me een kijkje in wat ik in het leven gemist heb, waarvan ik mijzelf heb uitgesloten door hardnekkig het soort wezen te blijven dat ik ben: de vreugde van het behoren tot (thuishoren in) een massa, van het meegesleept worden door stromen van massagevoel.

Wat een vreemd besef voor iemand die geboren is in Afrika, waar het massale de norm is en het solitaire de afwijking!

Als jongeman heb ik mijzelf nooit één ogenblik toegestaan om eraan te twijfelen dat alleen uit een zelf dat los van en kritisch tegenover de massa staat, ware kunst zou kunnen voortkomen. In alles wat mijn hand aan kunst heeft voortgebracht is deze onthechting op een of andere manier tot uiting gekomen en zelfs verheerlijkt. Maar wat voor soort kunst is dat uiteindelijk geweest? Kunst die niet groot van ziel is, zoals de Russen zouden zeggen, die generositeit ontbeert, die verzuimt om het leven te vieren, die liefde ontbeert.

---

tien paarden tegen te houden. Ik zou denken, zei ik, dat als het Alan was die de pest in had, het Alan zou moeten zijn die excuses kwam aanbieden, niet zijn vriendin. Alan biedt nooit excuses aan, zei zijn vriendin. Tja, zei ik, kun je semantisch gesproken naar behoren excuses aanbieden namens iemand wiens hoofd niet naar excuses staat? Ze haalde haar schouders op. Ik kwam zeggen dat het me spijt, zei ze.

Dat zou je moeten doen, dat zou je moeten doen, zei Alan. Haar vertrouwen, bedoel ik. Weet je waarom? Omdat ze je, zonder dat je het weet, heeft gered. Ze heeft je gered van de malversaties (hij sprak het woord lettergreep voor lettergreep uit, als om te tonen hoe helder van geest hij

6. Over politiek kabaal

Een paar weken geleden bezocht ik de National Library in Canberra om een lezing te geven. Voorafgaand aan de lezing maakte ik enkele opmerkingen over de ophanden zijnde veiligheidswetgeving. Deze opmerkingen werden in verdraaide vorm op de voorpagina van *The Australian* afgedrukt. Volgens het citaat zou ik hebben gezegd dat mijn roman *Wachten op de barbaren* 'voortkwam uit het Zuid-Afrika van rond 1970, waar de veiligheidspolitie zo in en uit kon lopen om je op tournee te laten gaan [*sic*: er stond *barnstorm* in plaats van het door mij gebruikte *blindfold*, 'blinddoeken'] en in de boeien te slaan zonder uit te leggen waarom, en je mee te nemen naar een niet nader bepaalde plaats om met je te doen wat ze wilden'. De politie, zo zou ik hebben gezegd, 'kon doen wat ze wilden omdat er geen werkelijk verweer tegen hen mogelijk was omdat speciale bepalingen in de wetgeving hen bij voorbaat vrijwaarden'. In plaats van *werkelijk* lees *wettelijk*.

Ik ging door met te zeggen – maar hiervan werd geen melding gemaakt – dat elke journalist die over zo'n verdwijning berichtte het risico liep gearresteerd te worden op beschuldiging van het in gevaar brengen van de staatsveiligheid. 'Dit alles en nog veel meer,' besloot ik, 'gebeurde in het Zuid-Afrika van de apartheid in naam van de strijd tegen de terreur. Vroe-

---

En hoe ziet de toekomst eruit? zei ik. Ben je van plan om bij deze man te blijven die mij geen excuses wil aanbieden en jou vermoedelijk ook geen excuses aanbiedt?

Alan en ik gaan voorlopig uit elkaar, antwoordde ze. Een proefscheiding, zou je het kunnen noemen. Ik ga een tijdje naar mijn moeder in Townsville. Ik zie wel hoe ik erover denk als de boel is gekalmeerd, of ik nog wil terugkomen. Vanmiddag stap ik in het vliegtuig.

---

was) van een niet nader genoemde boosdoener. Die ook niet nader genoemd zal worden. Die je een poot wilde uitdraaien.

Heus? zei C, die geen idee had wat Alan in vredesnaam bedoelde; hij

ger dacht ik dat de bedenkers van deze wetten, waardoor het recht effectief buiten werking werd gesteld, morele barbaren waren. Nu weet ik dat ze gewoon pioniers waren, hun tijd vooruit.'

Twee dagen later plaatste *The Australian* een ingezonden brief: als Australië mij niet beviel, opperde de schrijver, dan moest ik maar teruggaan naar waar ik vandaan kwam, of, als ik de voorkeur gaf aan Zimbabwe, naar Zimbabwe.

Ik had natuurlijk wel een flauw vermoeden dat mijn opmerkingen in de bibliotheek tegen het zere been zouden zijn, maar deze lichtgeraakte, onlogische reactie (waarom zou iemand de voorkeur aan Zimbabwe geven boven Zuid-Afrika?) zo boordevol gal, nam me de wind uit de zeilen. Wat een beschermd leven heb ik geleid! Op het slagveld van de politiek geldt zo'n brief als niet meer dan een speldenprikje, maar ik raak erdoor verdoofd als door een klap met een loden pijp.

Dus dit is ons afscheid, zei ik.

Ja, ons afscheid.

En je carrière? zei ik. Hoe moet het dan met je carrière?

Mijn carrière. Dat weet ik niet. Misschien ga ik mijn moeder een tijdje helpen. Ze heeft van de grond af aan een modellenbureau opgebouwd, dat nu het grootste bedrijf van Noord-Queensland is. Wat niet slecht is voor een meisje uit het stadje Luzon dat met niks is begonnen.

---

stelde zich waarschijnlijk een gemaskerde figuur met een pistool in een donker steegje voor.

Maar zij heeft je gered, Anya heeft het gedaan, zei Alan. Ze heeft voor je gepleit. Het is een goede man, zei ze, zijn hart zit op de juiste plaats, bij de vertrapten en onderdrukten, bij de stemlozen, bij de nederige beesten.

Alan, hou je kop, zei ik. En tegen C zei ik: Alan heeft te veel gedronken, hij zet ons allemaal voor schut als hij zo doorgaat.

7. De kus

Op de muur van een hotelkamer in het stadje Burnie op Tasmanië een affiche: de straten van Parijs, 1950; een jongeman en een jonge vrouw die aan het kussen zijn, het moment gevangen in zwart-wit door de fotograaf Robert Doisneau. De kus lijkt spontaan. Het paar is tijdens het lopen door heftige gevoelens overmand geraakt: de rechterarm van de vrouw beantwoordt de omhelzing van de man niet (nog niet), maar hangt vrij, met een curve bij de elleboog die het precieze tegendeel is van de zwelling van haar borst.

Hun kus is niet slechts uit hartstocht geboren: met deze kus maakt de liefde zich kenbaar. Je vult het verhaal tegen wil en dank in. Hij en zij zijn student. Ze hebben samen de nacht doorgebracht, hun eerste nacht, zijn in elkaars armen wakker geworden. Nu moeten ze naar college. Op het trottoir, midden tussen de ochtendmenigte, wil zijn hart opeens uit elkaar barsten van tederheid. Ook het hare, ze is bereid zich duizend keer aan hem te geven. En dus kussen ze. En de voorbijgangers, de loerende camera, het zal hun een zorg zijn. Vandaar 'Parijs, stad van de liefde'. Maar het zou overal

---

Met een knap uiterlijk, zei ik. Ze moet op zijn minst met een knap uiterlijk begonnen zijn, en een goed hoofd op haar schouders. Te oordelen naar de dochter die ze heeft voortgebracht.

Ja, ze heeft een knap uiterlijk. Maar wat schiet je uiteindelijk op met uiterlijk?

We dachten allebei even na over wat je opschiet met uiterlijk.

Nou, zei ik, als je een baan zoekt als boekenredacteur, laat het me dan weten.

Zij heeft gepleit, en ik heb haar pleidooi ter harte genomen, zei Alan. Oeps, daar heb je het al, ik heb mijn mond voorbijgepraat. Ik heb haar pleidooi ter harte genomen en ervan afgezien. Want om je de waarheid te zeggen, Juan, ik was het, ik was de schurk in kwestie die op het punt stond je te beroven. Maar het niet heeft gedaan. Vanwege mijn vriendin hier. Mijn aanbiddelijke vriendin met haar overheerlijke kut.

C zweeg. Ik zweeg. Alan schonk zich nog een glas in.

kunnen gebeuren, die liefdesnacht, die gevoelsopwelling, die kus, het zou zelfs in Burnie kunnen gebeuren. Het had in ditzelfde hotel kunnen gebeuren, onopgemerkt en niet herinnerd, behalve door de geliefden.

Wie heeft dit affiche uitgekozen en opgehangen? *Al ben ik maar een hotelhouder, ook ik geloof in de liefde, kan de god herkennen als ik hem zie* – is het dat wat de aanwezigheid ervan wil zeggen?

Liefde: waar het hart naar smacht.

Dus dat was ik, een boekenredacteur, zei ze. Dat wist ik niet. Ik dacht dat ik maar een eenvoudige typiste was.

Integendeel, zei ik, integendeel.

Trouwens, zei ze, u hebt me toch niet in uw boek gezet zonder dat ik ervan weet? Ik zou het niet leuk vinden als ik er de hele tijd in voorkwam zonder dat u het me vertelde.

Maar dat is allemaal voorbij, zei Alan. Hoofdstuk gesloten. Wat zei je dat je volgende project gaat worden, Juan?

Dat staat nog niet vast.

Ach ja, je ging hergroeperen, nu weet ik het weer. En kon mijn vriendin voorlopig niet meer gebruiken. Weet je, Juan, jij bent de eerste man die ik

8. Over erotiek

Een jaar voordat hij de hand aan zichzelf sloeg, vertelde mijn vriend Gyula mij over erotiek zoals hij die kende in de herfst van zijn leven.

In zijn jeugd in Hongarije, zei Gyula, was hij een groot vrouwenveroveraar geweest. Maar naarmate hij ouder werd, nam de behoefte aan vleselijke gemeenschap met een vrouw af, hoewel hij nog even ontvankelijk voor het vrouwelijk schoon bleef als vroeger. Hij kreeg alle uiterlijke kenmerken van een door en door kuise man.

Zulke uiterlijke kuisheid was mogelijk, zei hij, omdat hij zich, geheel in zijn gedachten, in alle stadia van het onderhouden van een liefdesrelatie had bekwaamd, van eerste verliefdheid tot consummatie. Hoe kreeg hij dat voor elkaar? De onmisbare eerste stap was het zich vormen van wat hij een 'levend beeld' van de geliefde noemde, en zich dat eigen maken. Vervolgens placht hij bij dit beeld stil te staan, het adem te geven, totdat hij een punt had bereikt waarop hij, nog steeds in het rijk der verbeelding, de liefde met deze incubus van hem kon gaan bedrijven en haar uiteindelijk in opperste vervoering kon brengen; en van deze hele hartstochtelijke geschiedenis zou het aardse origineel nooit weet hebben. (Deze zelfde Gyula beweerde echter ook dat geen vrouw zich onbewust kan blijven van de begerige blik die op haar gevestigd wordt, zelfs in een stampvolle zaal, zelfs als ze de bron ervan niet kan ontdekken.)

In een van mijn meningen bedoel je? Welke mening denk je dat ik over jou zou hebben willen verkondigen?

Niet per se over mij met name, maar over kleine Filippijnse typistes die alles denken te weten.

Ze was in een slecht humeur geweest toen ik de deur voor haar opendeed (ze wilde niet blijven, ze was alleen haar excuses komen aanbieden...)

---

ooit ben tegengekomen die me ervan heeft proberen te overtuigen dat hij Anya niet kon gebruiken. Gewoonlijk kunnen mannen allerlei manieren bedenken om Anya te gebruiken, waarvan de meeste in een welgemanierde samenleving maar beter ongenoemd kunnen blijven. Maar wees gerust, als jij zegt dat je haar niet kunt gebruiken, dan geloof ik je.

'Hier in Batemans Bay hebben ze camera's verboden op stranden en in winkelcentra,' zei Gyula (in Batemans Bay bracht hij zijn laatste jaren door). 'Ze zeggen dat het is om kinderen tegen de roofzuchtige attenties van pedofielen te beschermen. Wat zullen ze hierna gaan doen? Onze ogen uitsteken, als we boven een bepaalde leeftijd zijn? Ons blinddoeken laten dragen?'

Zelf had hij weinig erotische belangstelling voor kinderen; hoewel hij afbeeldingen verzamelde (hij was fotograaf van beroep geweest), was hij geen pornograaf. Hij woonde sinds 1957 in Australië zonder zich er ooit op zijn gemak te voelen. De Australische maatschappij was te puriteins naar zijn smaak. 'Als ze wisten wat er in mijn hoofd omgaat,' zei hij, 'zouden ze me kruisigen.' 'Ik bedoel,' voegde hij er als nadere overweging aan toe, 'met echte spijkers.'

Ik vroeg hem wat ik me moest voorstellen bij de denkbeeldige paringen die hij beschreef, of ze hem iets brachten wat dezelfde bevrediging benaderde als het bedrijven van de liefde in de echte wereld. En trouwens, ging ik verder, had hij er ooit bij stilgestaan dat de wens om vrouwen in de beslotenheid van zijn gedachten in vervoering te brengen weleens geen uiting van liefde maar van wraak zou kunnen zijn – wraak op wie jong en mooi was, omdat ze hun neus ophaalden voor een lelijke oude man als hij (we waren vrienden, we konden dat soort dingen zeggen)?

Hij lachte. 'Wat denk je dat het betekent om een vrouwenveroveraar te zijn?' zei hij (het Engelse synoniem was een van zijn favoriete woorden,

---

maar dat werd al minder. Nog een paar aaitjes over haar bloemblaadjes en ze zou weer gaan stralen met haar gebruikelijke kleur.

Geen meningen over typistes, zei ik. Maar jawel, je komt wel in het boek voor – hoe zou je er niet in kunnen voorkomen als je deel hebt gehad aan het maken ervan? Je komt er overal in voor, overal en nergens. Zoals God, zij het niet op dezelfde schaal.

Ik hoor van Anya dat je heel welgemanierd bent. Ontegenzeglijk *galant*, maar meer ook niet. Geen onoorbaar gefluister. Geen onbetamelijk gebruik van de handen. Een echte ouderwetse heer, eigenlijk. Dat mag ik wel. Ik wou dat we er meer hadden zoals jij. Zelf ben ik niet *galant*. Dat zul je wel gemerkt hebben. Ik ben in geen enkel opzicht een heer. Ik weet

dat hij graag over zijn tong liet rollen: *wo-man-i-zer*). 'Een vrouwenveroveraar is iemand die je als vrouw uit elkaar laat vallen en weer in elkaar zet. Als een *a-tom-i-zer* die je uit elkaar laat vallen in atomen. Alleen mannen hebben een hekel aan vrouwenveroveraars, uit jaloezie. Vrouwen waarderen een vrouwenveroveraar. Een vrouw en een vrouwenveroveraar horen van nature bij elkaar.'

'Zoals een vis en een haak,' zei ik.

'Ja, zoals een vis en een haak,' zei hij. 'God heeft ons voor elkaar geschapen.'

Ik vroeg hem nog wat meer over zijn techniek te vertellen.

Het draaide er allemaal om, antwoordde hij, dat je in staat moest zijn om door de grootste, meest toegewijde aandacht dat unieke onbewuste gebaar op te merken, te subtiel of te vluchtig om door het gemiddelde oog te worden waargenomen, waarmee een vrouw zichzelf verried – haar erotische essentie verried, dat wil zeggen, haar ziel. De manier waarop ze haar pols draaide om op haar horloge te kijken, bijvoorbeeld, of de manier waarop ze omlaag reikte om het bandje van een sandaal aan te snoeren. Was die unieke beweging eenmaal opgemerkt, dan kon de erotische verbeelding die naar hartenlust onderzoeken totdat het allerlaatste geheim van de vrouw was blootgelegd, niet uitgezonderd de manier waarop ze in de armen van een geliefde bewoog, waarop ze haar hoogtepunt bereikte. Uit het veelzeggende gebaar volgde alles 'als door het lot'.

Wilt u me een exemplaar sturen?

Ik zal een exemplaar voor je bewaren. Je kunt het komen halen. Maar het zal in het Duits zijn, denk daar wel aan.

Dat geeft niet. Gewoon als aandenken. Nu moet ik ervandoor. Ik moet pakken.

Vindt Alan het niet erg dat je weggaat? Zal hij niet eenzaam zijn?

---

niet eens wie mijn ouders waren, wie mijn vader of moeder was, en je kunt geen heer zijn als je je ouders niet kent, waar of niet? Heeft Anya je niet over mijn achtergrond verteld? Nee? Ik ben grootgebracht in een jongenstehuis in Queensland. Ik ben hun enige succesverhaal, de enige wees die de wereld in is getrokken en op een wettige manier zijn fortuin

Hij beschreef me zijn procedures met grote openhartigheid, maar niet, zo had ik de indruk, met het idee om je een les te geven die moest worden opgevolgd. Hij had geen hoge dunk van mijn oog, voor vrouwen of essentiële gebaren of wat dan ook. Door mijn geboorte op een primitief continent was ik naar zijn mening verstoken van wat Europeanen van nature bezaten, namelijk een Griekse, dat wil zeggen platonische, inslag.

'Je hebt geen antwoord gegeven op mijn oorspronkelijke vraag,' zei ik. 'Geven die masturbatoire veroveringen van jou je werkelijke bevrediging? Zou je in het diepst van je hart niet de voorkeur aan het echte werk geven?'

Hij richtte zich op. 'Masturbatie is een woord dat ik nooit gebruik,' zei hij. 'Masturbatie is voor kinderen. Masturbatie is voor de beginneling die op zijn instrument oefent. Wat het echte werk betreft, hoe kun jij, die Freud hebt gelezen, die term zo onverantwoord gebruiken? Waar ik het over heb, is ideale liefde, poëtische liefde, maar op het sensuele vlak. Als je weigert dat te begrijpen, kan ik je niet helpen.'

Hij vergiste zich in me. Ik had alle reden om vat te willen krijgen op dit verschijnsel dat hij ideale liefde op het sensuele vlak noemde, alle reden om er vat op te willen krijgen en het over te nemen en ten eigen bate aan te wenden. Maar ik kon het niet. Er was het echte werk, dat ik kende en me herinnerde, en dan was er het soort geestelijke verkrachting dat Gyula bedreef, en die twee waren niet hetzelfde. De aard van de emotionele ervaring was misschien overeenkomstig, de extase was misschien zo intens als hij deed voorkomen – wie was ik om dat te betwisten? – maar in de meest elementaire zin kon een geestelijke liefde niet het echte werk zijn.

Hoe komt het toch dat wij – zowel mannen als vrouwen, maar vooral

---

Alan wordt niet eenzaam. En als hij het wel wordt, kan hij me komen opzoeken. Dan kan hij een weekendje komen.

Dus jullie hebben geen ruzie gemaakt, jij en hij. Jullie hebben niets onherstelbaars gedaan.

---

heeft gemaakt. Een selfmade man, dus. Weet je wat ik waard ben, Señor Juan? Niet zoveel als jij – ik gis er natuurlijk alleen maar naar, hoe zou ik moeten weten hoeveel jij waard bent? – maar toch een hoop. Een pak geld. En weet je waar ik dat bewaar? Nee? Dat bewaar ik hier. Hij tikte op de

mannen – bereid zijn de toenaderingspogingen en afwijzingen van het echte te accepteren, steeds meer afwijzingen naarmate de tijd verstrijkt, en elke keer vernederender, en toch blijven terugkomen? Het antwoord: omdat we niet zonder het echte werk kunnen; omdat we zonder het echte sterven als van de dorst.

Nee, wij maken geen ruzie. We zijn geen kinderen. Ik heb hem gezegd dat ik wat frisse lucht nodig heb, meer niet. Zelf heeft hij waarschijnlijk ook wat frisse lucht nodig. Tot kijk. Hou u goed. Denk eraan: blijf uit het ziekenhuis. Van ziekenhuizen word je ziek.

---

zijkant van zijn hoofd. Dat bewaar ik hier. Converteerbare hulpbronnen, noem ik ze. Hulpbronnen die ik in een wip kan converteren, ik hoef er alleen maar toe te besluiten. Niet veel anders dan jij, neem ik aan. Jij slaat waarschijnlijk ook hulpbronnen in je hoofd op, verhalen, plots,

9. Over ouder worden

Mijn heup deed vandaag zoveel pijn dat ik niet kon lopen en nauwelijks kon zitten. Het fysieke mechanisme gaat van dag tot dag achteruit, onverbiddelijk. Wat het geestelijke apparaat betreft, ik ben voortdurend op mijn qui-vive voor tanden die van tandwielen afbreken, stoppen die doorslaan, en blijf tegen beter weten in hopen dat het zijn lichamelijke gastheer zal overleven. Alle oude mensen worden cartesianen.

Ze offreerde me haar wang. Oneindig licht – ik had me niet geschoren, ik wilde haar niet voor het hoofd stoten – raakte ik met mijn lippen die gladde huid aan. Ze liep langzaam achteruit, keek me lang, nadenkend aan. In haar voorhoofd verschenen rimpels. Wilt u een knuffel? zei ze. En toen ik geen antwoord gaf, zei ze: Zou u me, omdat ik wegga en we elkaar misschien nooit meer zien, een knuffel willen geven? Zodat u naderhand

---

personages, dat soort dingen. Maar in jouw branche kost het tijd om je van je hulpbronnen bewust te worden, maanden en jaren. Terwijl er bij mij maar *dit* hoeft te gebeuren – hij knipte met zijn vingers – en klaar is Kees. Wat denk jij?

10. Idee voor een verhaal

Een beroemde romanschrijfster wordt uitgenodigd op een of andere universiteit om een lezing te geven. Haar bezoek valt samen met het bezoek van professor X, die daar is om een praatje te houden over (laten we zeggen) het Hittitische muntstelsel en wat dat ons kan leren over de Hittitische beschaving.

In een opwelling besluit de romanschrijfster het praatje van professor X bij te wonen. Er zijn maar zes andere mensen onder zijn gehoor. Wat X te zeggen heeft is op zichzelf interessant, maar hij brengt het op een eentonige manier en er zijn momenten dat haar gedachten afdwalen. Ze doezelt zelfs eventjes weg.

Later raakt ze in gesprek met de academische gastheer van X. X, zo ontdekt ze, staat in hoog aanzien bij zijn collega-geleerden; maar terwijl zijzelf in een chic hotel wordt ondergebracht, moet X op de bank in de woonkamer van zijn gastheer slapen. Gegeneerd realiseert ze zich dat waar zijzelf onderdeel is van een redelijk bloeiende tak van de amusementsindustrie, X tot een veronachtzaamd en geringgeschat gezelschap binnen de universiteit behoort: restanten van de slechte oude tijd, geleerde klaplopers die geld noch prestige inbrengen.

Haar eigen praatje, de volgende dag, trekt een groot publiek. In haar inleidende opmerkingen stelt ze het warme welkom dat haarzelf werd bereid tegenover het koele welkom dat X (die ze niet met name noemt) ten deel

---

niet vergeet hoe ik was? En hoewel ze haar armen niet echt naar me uitstrekte, maar half ophief langs haar zij, hoefde ik maar één stap naar voren te doen om erin te worden opgenomen.

Zo bleven we een ogenblik staan. *Zie aan, wie kan de wegen des Heren doorgronden?* dacht ik bij mezelf. Door mijn achterhoofd speelde ook nog een regel van Yeats, al kon ik niet op de woorden komen, alleen op de

---

Stilte. Wees stil en hij zal verveeld raken, zei ik bij mezelf, net als zo'n opwindeendje dat een tijdje waggelt en er dan de brui aan geeft.

Signora Federico verscheen met koffie. Ze moest elk woord vanuit de keuken hebben gehoord. Wat Alan over mij en mijn geslachtsdelen zei.

viel. Het verschil komt haar schandelijk voor, zegt ze; wat is er van de universiteiten geworden?

Tijdens het diner dat na de lezing ter ere van haar wordt gegeven merkt ze tot haar verbazing dat de decaan absoluut geen aanstoot aan haar opmerkingen heeft genomen, maar er juist blij mee is. Alle controverse is goede controverse, zegt hij tegen haar, alle publiciteit goede publiciteit. Wat X aangaat, ouderwetse geleerden zoals hij zijn niet zo slecht af als zij kennelijk denkt. Ze hoeven niet voor hun baan te vrezen en krijgen een aanzienlijk salaris, en in ruil waarvoor? Voor het doen van onderzoek dat in groter verband niet meer voorstelt dan een antiquarische hobby. Waar anders dan op de op het algemeen welzijn gerichte universiteiten zouden ze er zo goed uitspringen?

Weer thuis schrijft ze professor X om hem over haar gesprek met de decaan te vertellen. X schrijft terug: U hoeft er niet over in te zitten, zegt hij, ik ben niet aan mijn Hittitische studie begonnen om rijk of beroemd te worden. Wat u betreft, zegt hij, u verdient alles wat u ten deel is gevallen, u hebt de goddelijke vonk.

De goddelijke vonk, peinst ze bij zichzelf: wanneer heb ik voor het laatst een goddelijke vonk gehad? Ze vraagt zich af wat haar werkelijke reden was

---

muziek. Toen deed ik de vereiste stap naar voren en omhelsde haar, en een volle minuut lang klampten we ons aan elkaar vast, deze gekrompen oude man en die aardse belichaming van hemelse schoonheid, en zouden een tweede minuut zo hebben kunnen blijven staan, dat zou zij die zo gul was met zichzelf goed hebben gevonden; maar ik dacht: *Genoeg is genoeg*, en liet haar los.

•

Die vanaf deze avond verboden gebied voor hem zullen zijn. Alan sloeg geen acht op haar. Niet mooi genoeg voor hem.

Weet je wie de naamloze boosdoener was die je bijna van je kapitaal had afgeholpen? drong hij aan. Wil je raden?

Dat heb je me verteld, zei C: jij.

om X te schrijven. Misschien probeerde ze zich er gewoon voor te verontschuldigen dat ze tijdens zijn praatje in slaap was gevallen (dat moest hij ongetwijfeld gezien hebben).

Het zou een volstrekt levensvatbaar verhaal zijn, van een minder belangrijke soort. Maar ik betwijfel of ik er ooit aan toe zal komen om het te schrijven. Het bedenken van opzetjes voor verhalen lijkt de laatste tijd een substituut te zijn geworden voor het schrijven ervan. Ik denk aan Gyula en zijn harem van beelden. Is het een van de gevolgen van het ouder worden dat je het ding zelf niet langer nodig hebt, dat het idee van het ding volstaat – zoals, in hartsaangelegenheden, het openhouden van een mogelijkheid, door Gyula ideale liefde genoemd maar bij gewone mensen beter bekend als flirten, een substituut kan worden, een niet onwelkom substituut, voor de liefde zelf?

Na een langdurige stilte een brief van Anya, uit Brisbane.

Hola Señor!
Zoals u ziet, kan ik u nog steeds niet bij uw voornaam noemen. Ook al bent u helemaal niet Spaans, in mijn gedachten, in die dagen in de Towers, was u altijd El Señor, al wist ik dat u op een meer persoonlijke basis wilde overstappen. Wat een omslachtige manier is om te zeggen, neem ik aan, dat u voor mij tot een andere generatie en een andere wereld behoort, en dan bedoel ik niet de wereld van mijn ouders (ik probeerde me soms u en mijn moeder samen voor te stellen, maar ik kon u en haar niet

---

Precies. En de schone Anya heeft me ervan weerhouden, Anya met haar hart van goud. Hij is mijn baas, pleitte ze, hij behandelt me goed, hoe kan ik hem bedriegen? Ze heeft een zwak voor je, Juan, weet je dat?

Alan, zei ik. Ik wierp een blik op het meisje; ze verliet de kamer, deed de keukendeur zachtjes achter zich dicht.

11. *La France moins belle*

De streek in Frankrijk waar ik bijna thuis ben, is de Languedoc, waar ik enkele jaren een tweede huisje heb gehad. De Languedoc is verre van het meest aantrekkelijke deel van *la belle France*. Het binnenlandse klimaat is onvriendelijk – verstikkend heet in de zomer, ijskoud in de winter. Het dorp waarop ik vanuit het niets neerstreek was niets bijzonders, de bevolking ongastvrij. Desondanks verwierf het huis dat ik daar had aangekocht zich in de loop der jaren een eigen plekje, zo niet in mijn genegenheid, dan wel in een geheimzinniger gevoel: mijn plichtsgevoel. Lang nadat ik de jaarlijkse bezoeken had gestaakt en het huisje had verkocht, *jolie* aan de buitenkant maar nogal somber vanbinnen, nogal ongezellig, voelde ik een diepe treurigheid. Wat zou ervan worden nu ik er niet langer was om erover te waken, ervoor te zorgen?

Het genot van bezit heb ik nooit erg sterk gevoeld. Ik vind het moeilijk om mezelf als de bezitter van iets te beschouwen. Maar ik ben wel geneigd om ongemerkt de rol van bewaker en beschermer van het onbeminde en onbeminbare op me te nemen, van wat andere mensen verachten of versmaden: kwaadaardige oude honden, lelijke meubels die hardnekkig in leven zijn gebleven, auto's die op het punt staan om in te storten. Het is een rol waar ik me tegen verzet: maar af en toe heb ik geen verweer tegen het woordeloze beroep dat het ongewenste op me doet.

Een inleiding tot een verhaal dat nooit geschreven zal worden.

---

eens in hetzelfde kader krijgen). Wat een omslachtige manier is om iets anders te zeggen, wat ik niet hoef te zeggen, omdat ik zeker weet dat u het begrijpt.

Maar goed, nu dat uit de weg is geruimd, dank u wel dat u me uw boek hebt gestuurd, dat ik natuurlijk niet kan lezen, maar dat weet u wel, en

---

Ze noemt je Señor C, zei Alan. Señor C de vijenzestigplusser. Dat is haar eigen naam voor jou. En jij? Heb jij ook een eigen naam voor haar? Nee? Ga je me die niet verklappen? Anya zegt me dat ze een beetje teleurgesteld is in hoe je boek uiteindelijk is geworden. Dat zegt ze me in vertrouwen. Ik hoop dat je dat niet erg vindt. Ik hoop dat je niet gekwetst

12. De klassieken

Ik laat mijn gedachten over de nieuwe fictie gaan die ik de afgelopen twaalf maanden heb gelezen en probeer één boek te vinden dat me werkelijk heeft geraakt, maar er komt niets bij me op. Om diep geraakt te worden moet ik teruggrijpen op de klassieken, op episodes die in een voorbij tijdperk toetsstenen zouden zijn genoemd, stenen die men aanraakte voor het hernieuwen van zijn geloof in de mensheid, in de continuïteit van het menselijk verhaal: Priamus die de handen van Achilles kust, smekend om het lichaam van zijn zoon; Petja Rostov die huivert van opwinding terwijl hij wacht om zijn paard te bestijgen op de ochtend dat hij zal sterven.

Zelfs bij eerste lezing heeft men een voorgevoel dat het op deze mistige morgen niet goed zal aflopen met de jonge Petja. De accenten die een voorafschaduwing zijn van de stemming, zijn gemakkelijk aan te brengen, als we eenmaal hebben geleerd hoe dat moet, maar desondanks vloeit de hele geschiedenis keer op keer wonderbaarlijk fris uit Tolstojs pen.

Petja Rostov, zegt mijn lezer, wiens gezicht mij onbekend is en nooit bekend zal worden – *ik herinner me geen Petja Rostov*; en hij of zij loopt naar de plank en pakt *Oorlog en vrede* en gaat op zoek naar de dood van Petja. Nog een betekenis van 'de klassieken': om op de plank te staan wachten tot ze voor de duizendste, de miljoenste keer zullen worden gepakt. De klassieken: zij die blijven. Geen wonder dat uitgevers zo graag een klassieke status voor hun auteurs opeisen!

---

dank u vooral voor het sturen van de stukken die u niet in het boek hebt opgenomen, die ik gelukkig wel lezen kan. Ik weet wat u bedoelt als u zegt dat het niet echt Uitgesproken meningen zijn, maar ze spreken me toch het meeste aan. Ik noem ze uw Onuitgesproken meningen – ik hoop dat u dat niet erg vindt.

---

bent. Anya is geen politiek dier, zoals je wel gemerkt zult hebben. Je opinies over politieke aangelegenheden waren niet echt aan haar besteed, zegt ze. Ze hoopte op iets persoonlijkers, iets smakelijkers. Wat mijzelf betreft, ik heb normaal geen tijd voor boeken. Te veel andere dingen aan mijn hoofd. Maar deze laatste pennenvrucht van je heb ik serieus

13. Over het schrijversleven

Tijdens de jaren dat ik hoogleraar in de literatuur was en jonge mensen gidste op een reis door boekenland die altijd meer voor mijzelf betekende dan voor hen, sprak ik mezelf moed in met het argument dat ik in mijn hart geen docent was maar romanschrijver. En inderdaad dank ik mijn bescheiden reputatie eerder aan mijn schrijverschap dan aan mijn docentschap.

Maar nu heffen de recensenten een nieuw refrein aan. In zijn hart is hij toch geen romanschrijver, zeggen ze, maar een schoolmeester die liefhebbert in fictie. En ik ben in een stadium in mijn leven aangeland waarin ik me begin af te vragen of ze niet gelijk hebben – of ik niet al die tijd dat ik vermomd dacht rond te lopen in werkelijkheid naakt was.

De rol die ik tegenwoordig in het openbare leven speel, is die van gerenommeerde figuur (gerenommeerd vanwege wat kan niemand zich precies herinneren), het soort notabele dat van de plank wordt gepakt en afgestoft om een paar woorden te zeggen tijdens een culturele gebeurtenis (de opening van een nieuwe zaal in een kunstgalerij; een prijsuitreiking tijdens een cultureel jeugdconcours) en vervolgens weer in de kast wordt gestopt. Een passend komisch en provinciaals lot voor een man die een halve eeuw geleden het stof van de provincie van zijn voeten schudde en de wijde wereld in trok om *la vie bohème* te leiden.

In werkelijkheid ben ik nooit een bohémien geweest, toen niet en nu

---

Ik neem aan dat ik jaloers zou moeten zijn op de ander die het van mij heeft overgenomen en ze voor u heeft uitgetypt, maar dat ben ik niet. Ik wens u veel geluk, en ik hoop dat uw boek gauw in het Engels uitkomt, en een groot succes wordt in de boekwinkels.

Soms bloos ik als ik denk aan het commentaar dat ik op uw meningen heb geleverd – u was tenslotte de wereldberoemde schrijver, en ik maar de

---

genomen. We hebben hem hoofdstuk voor hoofdstuk doorgenomen, Anya en ik, paragraaf voor paragraaf, mening voor mening. Alles uit elkaar gehaald. Ik heb wat opmerkingen tegen haar gemaakt en zij heeft wat opmerkingen tegen mij gemaakt. Wat is ons vonnis, vraag je? Laat me

niet. In mijn hart ben ik altijd een sobriëtair gebleven, als zo'n woord bestaat, en bovendien iemand die in orde, in ordelijkheid gelooft. Een dezer dagen zal een of andere staatsfunctionaris mij een lintje op de ingevallen borst spelden en zal mijn herassimilatie in de samenleving voltooid zijn. *Homais, c'est moi.*

'Ik beschouw [inspiratie] niet als een staat van genade,' schrijft Gabriel García Márquez, 'of als een goddelijke inblazing, maar als een verzoening met het thema ten gevolge van vasthoudendheid en beheersing [...] Jij vuurt het thema aan, en het thema jou. [...] Er is een moment waarop alle obstakels wegvallen, alle conflicten verdwijnen, en dan kom je op dingen waar je nooit van had gedroomd, en dan is er in het leven niets mooiers dan schrijven.'[8]

Een- of tweemaal in een mensenleven heb ik de vlucht van de ziel gekend die García Márquez beschrijft. Misschien zijn dergelijke vluchten inderdaad een beloning voor vasthoudendheid, al denk ik dat *gestaag vuur* de benodigde eigenschap beter beschrijft. Maar hoe we haar ook noemen, ik bezit haar niet meer.

Ik lees het werk van andere schrijvers, lees de passages vol compacte beschrijvingen die ze met zorg en inspanning hebben gecomponeerd met de bedoeling denkbeeldige schouwspelen op te roepen voor het innerlijk oog, en de moed zakt mij in de schoenen. Ik ben nooit erg goed geweest in het oproepen van het werkelijke en heb nu nog minder zin in dat karwei. Ik heb eerlijk gezegd nooit veel plezier beleefd aan de zichtbare wereld, voel

---

kleine secretaresse – maar dan denk ik bij mezelf: *Misschien kon hij een perspectief van onderaf, om zo te zeggen, wel waarderen, een mening over zijn meningen.* Want ik had het gevoel dat u een risico nam, omdat u zo geïsoleerd was, zo weinig voeling had met de moderne wereld.

Ik weet nog dat u me eens hebt verteld dat u uw dromen niet in het boek wilde zetten omdat dromen niet als meningen gelden, dus het is

---

eens zien hoe ik het moet zeggen. Ons vonnis, ons gezamenlijke vonnis, valt in twee delen uiteen. Het eerste deel is dat we denken dat je een wat naïeve, wat al te optimistische kijk op de menselijke natuur hebt. In tegenstelling tot wat jij liever wilt geloven, is het leven echt een strijd. Het is een

nog steeds geen erg overtuigende aandrang om die in woorden te herscheppen.

Toenemende onverschilligheid tegenover de wereld is natuurlijk wat vele schrijvers ervaren naarmate ze ouder worden, ouder of killer. De textuur van hun proza wordt dunner, hun behandeling van karakter en handeling schematischer. Het syndroom wordt gewoonlijk aan een afname van het creatief vermogen toegeschreven; het heeft ongetwijfeld te maken met de vermindering van de lichamelijke vermogens, in de eerste plaats het vermogen om te begeren. Toch kan diezelfde ontwikkeling van binnenuit op een heel andere manier worden geïnterpreteerd: als een bevrijding, een opklaren van de geest om belangrijker taken aan te vatten.

Het klassieke geval is dat van Tolstoj. Niemand staat meer in de werkelijke wereld dan de jonge Leo Tolstoj, de Tolstoj van *Oorlog en vrede*. Na *Oorlog en vrede* begon Tolstoj, als we afgaan op de gebruikelijke lezing, aan een langdurige, schoolmeesterachtige neergang die culmineerde in de dorheid van zijn latere korte verhalen. Maar in de ogen van de oudere Tolstoj zal de evolutie een heel andere zijn geweest. In plaats van achteruit te gaan, zo moet hij hebben gedacht, ontdeed hij zich van de boeien die hem aan de uiterlijke schijn hadden gekluisterd, zodat hij in staat was de enige vraag die zijn ziel werkelijk bezighield rechtstreeks onder ogen te zien: hoe te leven.

---

goed om te zien dat een van uw onuitgesproken meningen een droom is, de droom die u me lang geleden heeft verteld over uzelf en Eurydice. Natuurlijk vraag ik me af of er geen geheime boodschap over de behoefte aan hulp in zit. Het is jammer dat u zo alleen bent op de wereld. We kunnen allemaal iemand gebruiken die naast ons staat, om ons te helpen.

---

strijd van allen tegen allen, en die gaat de hele tijd door. Hij wordt ook op dit moment in deze kamer gevoerd. Kun je dat ontkennen? Anya strijdt om je voor mij en mijn verslindende roofzucht te behoeden. Jij strijdt om Anya van mij los te weken. Ik strijd om jou op je plaats te zetten.

Jij bent een beetje een dromer, Juan. Een dromer maar ook een

14. Over de moedertaal

Heeft ieder van ons een moedertaal? Heb ik een moedertaal? Tot voor kort accepteerde ik klakkeloos dat, aangezien Engels de taal is die ik het beste beheers, Engels als mijn moedertaal moest gelden. Maar misschien is dat niet waar. Misschien – is zoiets mogelijk? – heb ik geen moedertaal.

Want soms, als ik naar de Engelse woorden luister die uit mijn mond komen, heb ik het verontrustende gevoel dat degene die ik hoor niet degene is die ik *mijzelf* noem. Het is eerder alsof er iemand anders (maar wie?) wordt geïmiteerd, nagevolgd, zelfs nageaapt. *Larvatus prodeo.*

Schrijven is een minder verwarrende ervaring. Als ik hier in stilte zit en mijn hand laat bewegen, deze Engelse woorden oproep, ermee schuif, het ene door het andere vervang, ze tot zinnen weef, voel ik me op mijn gemak, de situatie meester. Er komt een beeld bij me op van een bezoek aan een warenhuis in Moskou: een vrouw die op een telraam werkte, hoofd stil, ogen stil, vliegende vingers.

Aan het eind van een schrijfdag kom ik te voorschijn met pagina's met wat ik gewoon ben *wat ik zeggen wilde* te noemen. Maar in een behoedzamer stemming vraag ik mij nu af: Zijn deze woorden, uitgeprint op papier, werkelijk wat ik zeggen wilde? Volstaat het ooit, als fenomenologische verklaring, om te zeggen dat ik ergens diep vanbinnen wist wat ik zeggen wilde, waarna ik op zoek ben gegaan naar de geëigende verbale symbolen en daarmee net zolang heb geschoven tot ik erin was geslaagd om te zeggen

---

Alan zei altijd dat u sentimenteel was. Ik heb dat nooit zo gezien. Een sentimentele socialist, noemde hij u. Dat was natuurlijk kleinerend bedoeld. Ik luisterde eigenlijk nooit als Alan over u tekeerging. Hij dacht dat u een overmatige invloed op me had, en daarom mocht hij u niet. Ik weet zeker dat dat geen nieuws voor u is.

---

intrigant. Wij zijn allebei intriganten, jij en ik (Anya is helemaal geen intrigante), maar ik doe tenminste niet alsof ik het niet ben. Ik ben een intrigant omdat ik levend verslonden zou worden als ik het niet was, door de andere beesten in de jungle. En jij bent een intrigant omdat je doet alsof je bent wat je niet bent. Jij stelt je op als een eenzame stem van het

wat ik zeggen wilde? Zou het niet nauwkeuriger zijn om te zeggen dat ik net zolang met een zin goochel totdat de woorden op de bladzijde goed 'klinken' of 'zijn', en dan ophoud met goochelen en bij mezelf zeg: 'Dat moet het zijn wat je zeggen wilde'? Zo ja, aan wie is het dan om te beoordelen wat al dan niet goed klinkt? Moet dat per se ik ('ik') zijn?

Zou de hele ervaring ook maar enigszins anders zijn, ook maar enigszins minder gecompliceerd, ook maar enigszins beter, als ik door geboorte en opvoeding dieper verzonken was geweest in de taal die ik schrijf – met andere woorden, als ik een waarachtiger, minder twijfelachtige moedertaal dan het Engels had om in te werken? Misschien is het wel zo dat alle talen uiteindelijk vreemde talen zijn, vreemd aan ons dierlijke wezen. Maar op een manier die letterlijk onuitgesproken is, onuitsprekelijk, heb ik niet het gevoel dat het Engels een rustplaats voor mij is, een thuis. Het is gewoon toevallig een taal waarvan ik mij de middelen enigszins heb eigen gemaakt.

Mijn geval zal zeker niet uniek zijn. Onder indianen van de betere klasse, bijvoorbeeld, moeten er velen zijn die hun opleiding in het Engels hebben gedaan, die routineus Engels spreken op het werk en thuis (en er af en toe een plaatselijke uitdrukking tussendoor gooien voor de kleur), die andere talen slechts onvoldoende beheersen, maar die, als ze luisteren naar wat ze zelf zeggen of als ze lezen wat ze zelf hebben geschreven, het ongemakkelijke gevoel hebben dat er iets niet in de haak is.

Ik moet zeggen dat ik de eerste keer dat u zichzelf een anarchist noemde mijn oren niet kon geloven. Ik dacht dat anarchisten zwarte kleren droegen en parlementsgebouwen probeerden op te blazen. U lijkt een heel rustig soort anarchist, heel respectabel.

Hebt u een overmatige invloed op me gehad? Ik denk van niet. Ik denk

---

geweten die opkomt voor de mensenrechten en dergelijke, maar ik vraag me af: als hij echt in die mensenrechten gelooft, waarom is hij dan niet in de echte wereld om ervoor te vechten? Wat is zijn staat van dienst? En het antwoord is, volgens mijn naspeuringen: zijn staat van dienst stelt niet zoveel voor. Zijn staat van dienst is in feite praktisch nihil. Dus vraag ik me

15. Over Antjie Krog

Op de radio gisteren gedichten van Antjie Krog, voorgelezen in Engelse vertaling door de schrijfster zelf. De eerste keer, als ik me niet vergis, dat ze aan het Australische publiek werd voorgesteld. Haar thema is veelomvattend: de historische ervaring in het Zuid-Afrika van haar leven. Haar dichterscapaciteiten zijn als reactie op die uitdaging toegenomen, hebben zich niet laten afremmen. Opperste oprechtheid gesteund door een scherpe, vrouwelijke intelligentie, en een corpus van hartverscheurende ervaringen om een beroep op te doen. Haar antwoord op de gruwelijke wreedheden waarvan ze getuige is geweest, op het leed en de wanhoop die daardoor worden opgeroepen: wend je tot de kinderen, tot de menselijke toekomst, tot het zichzelf voortdurend vernieuwende leven.

Niemand in Australië schrijft met vergelijkbare razernij. Het verschijnsel-Antjie Krog komt me heel Russisch voor. Het leven in Zuid-Afrika mag dan, net als in Rusland, ellendig zijn, maar hoe springt de dappere geest op om erop te reageren!

---

helemaal niet dat u veel invloed op me hebt gehad. Dat bedoel ik niet negatief. Ik bof dat ik u destijds heb leren kennen. Zonder u zou ik waarschijnlijk nog steeds met Alan zijn; maar u hebt me niet beïnvloed. Ik was mezelf voordat ik u ontmoette en ik ben nog steeds mezelf, geen verandering.

---

af: wat wil hij nou echt met dat boek van hem? *Lees deze bladzijden*, zeg je tegen mijn vriendin (mijn vriendin, niet de jouwe), terwijl je haar gevoelvol in de ogen kijkt, *en zeg me wat je ervan vindt*; waar komt dat op neer? Zal ik je zeggen wat ik besloten heb? Ik heb besloten dat het erop neerkomt dat je zin hebt om met je handen aan mijn schone vriendin te zitten, maar

16. Over gefotografeerd worden

In Javier Marías' boek *Vidas escritas* staat een essay over schrijversfoto's. Onder de gereproduceerde foto's is er een van Samuel Beckett die in de hoek van een kale kamer zit. Beckett kijkt behoedzaam, en Marías beschrijft zijn blik dan ook als 'opgejaagd'. De vraag is: opgejaagd, achtervolgd door wat of wie? Het meest voor de hand liggende antwoord: achtervolgd door de fotograaf. Had Beckett echt uit vrije wil besloten om in een hoek te gaan zitten, op het kruispunt van drie dimensionale assen, en omhoog te staren, of had de fotograaf hem overgehaald om daar te gaan zitten? In zo'n positie, onderworpen aan tien of twintig of dertig flitsen van de camera, terwijl iemand zich over je heen buigt, is het moeilijk om je niet opgejaagd te voelen.

Een feit is dat fotografen al met een vooropgezette mening bij een fotosessie arriveren, vaak een clichématige mening, over wat voor iemand hun onderwerp is, en ernaar streven om dat cliché tot uitdrukking te brengen in de foto's die ze nemen (of, om het idioom van andere talen te volgen, de foto's die ze maken). Ze laten hun onderwerp niet alleen poseren zoals het cliché voorschrijft, maar kiezen als ze terugkomen in hun studio die opnames uit die het cliché het dichtst benaderen. Zo stuiten we op een paradox: hoe meer tijd de fotograaf heeft om zijn onderwerp recht te doen, hoe minder waarschijnlijk het is dat er recht zal geschieden.

U hebt me de ogen een beetje geopend, dat wil ik wel zeggen. U hebt me laten zien dat er een andere manier van leven is, door ideeën te hebben en die duidelijk uit te drukken en zo. Natuurlijk moet je talent hebben om dat met succes te doen. Het is niet iets wat ik zou kunnen. Maar misschien zouden u en ik in een ander leven, als onze leeftijd meer overeenkwam, samen een huishouden kunnen beginnen en zou ik uw inspiratiebron

---

niks durft te ondernemen omdat je bang bent een welverdiende klap in je gezicht te krijgen. Het komt neer op een bijzonder slinkse vorm van hofmakerij. *Vanbuiten mag ik dan verlept en afstotelijk zijn,* zeg je tegen haar (om nog maar te zwijgen van hoe je ruikt), *maar vanbinnen heb ik nog steeds de gevoelens van een man.* Waar of niet? Waar of niet, Anya?

17. Over het hebben van gedachten

Als ik geprest zou worden om de manier waarop ik over politiek denk van een etiket te voorzien, dan zou ik haar pessimistisch anarchistisch quiëtisme noemen, of anarchistisch quiëtistisch pessimisme, of pessimistisch quiëtistisch anarchisme: anarchisme omdat de ervaring mij leert dat wat er mis is met de politiek de macht zelf is; quiëtisme omdat ik mijn twijfels heb over de wil om de wereld te veranderen, een wil die met de zucht naar macht is besmet; en pessimisme omdat ik sceptisch sta tegenover de vraag of dingen op een fundamentele manier veranderd kunnen worden. (Dit soort pessimisme is de nicht en misschien zelfs de zuster van het geloof in de erfzonde, dat wil zeggen, van de overtuiging dat de mensheid niet te vervolmaken is.)

Maar mag ik eigenlijk wel een denker worden genoemd, iemand die heeft wat je met recht gedachten kunt noemen, over politiek of wat dan ook? Ik heb nooit goed overweg gekund met abstracties, ben nooit goed geweest in abstract denken. In de loop van een leven vol geestelijke activiteit is het enige idee van mij dat als abstract zou kunnen gelden pas laat bij me opgekomen, toen ik in de vijftig was en het me begon te dagen dat bepaalde alledaagse wiskundige begrippen de moraaltheorie misschien zouden kunnen helpen verduidelijken. Want de moraaltheorie heeft nooit goed geweten wat ze met kwantiteit aan moest, met getallen. Is twee mensen

---

kunnen zijn. Uw inwonende inspiratiebron. Hoe zou u dat lijken? U zou kunnen zitten schrijven aan uw bureau, en ik zou voor de rest kunnen zorgen.

Let er maar niet op. Gewoon een ideetje.

Ik ben eigenlijk een heel praktisch mens. Die kant van mij hebt u nooit gezien, maar het is waar. Een praktisch mens maar helaas geen dromer.

Ik stond op. Tijd om naar huis te gaan, Alan, zei ik. Dank u wel, meneer C, dat u ons uw feestje hebt laten meevieren. Het spijt me dat we het bedorven hebben, maar het is niks ernstigs, u hoeft zich er niks van aan te trekken, het waait allemaal wel over, Alan heeft alleen een beetje te veel gedronken.

doden bijvoorbeeld erger dan één mens doden? Zo ja, hoeveel erger? Twee keer zo erg? Niet helemaal twee keer zo erg – laten we zeggen anderhalf keer zo erg? Is een miljoen dollar stelen erger dan één dollar stelen? En als die ene dollar het penningske van de weduwe is?

Dit soort vragen is niet alleen maar scholastisch. Ze moeten dagelijks door het hoofd van rechters spelen, terwijl ze peinzen over de boete die moet worden opgelegd, de gevangenisstraf die moet worden gegeven.

Het idee dat bij me opkwam was op zichzelf best simpel, al liet het zich moeilijk in woorden vatten. In de wiskunde is een geheel geordende reeks een reeks elementen waarin elk element hetzij links hetzij rechts van ieder ander element moet staan. Waar het om getallen gaat, kan *links van* worden opgevat als minder dan, en *rechts van* als groter dan. Integers (gehele getallen), zowel positieve als negatieve, zijn een voorbeeld van een geheel geordende reeks.

In een reeks die slechts ten dele geordend is, houdt het vereiste dat elk gegeven element *ofwel* rechts *ofwel* links van enig ander gegeven element moet staan geen stand.

Op het gebied van morele oordelen kunnen we *links van* beschouwen als erger dan, en *rechts van* als beter dan. Als we de reeks elementen waarover we een moreel oordeel willen vellen niet als een geheel geordende reeks behandelen maar als een ten dele geordende reeks, dan zullen er elementenparen bestaan (één enkel slachtoffer tegenover twee slachtoffers; een miljoen dollar tegenover een penningske) waarop de ordenende relatie, de morele vraag *beter of slechter* niet van toepassing hoeft te zijn. Met

---

Dus als u op zoek bent naar een mededromer, een dromer die ook uw ondergoed zal wassen en uw fantastische maaltijden zal klaarmaken, dan moet u door blijven zoeken, dan heeft u niets aan mij.

Ik heb zitten denken over uw vriend de Hongaarse fotograaf en wat hij u vertelde. De meeste fotografen met wie ik heb gewerkt waren homo, zo

---

Je vergeet het tweede deel, zei Alan. Ga zitten, schat, ik heb Juan het tweede deel van ons vonnis nog niet verteld.

Toen we aan het tweede deel van ons vonnis toekwamen, redeneerden we als volgt, Anya en ik. Hij doet een serie uitspraken over de moderne

andere woorden, de niet-aflatende vraagtrant in de zin van *beter of slechter?* moet simpelweg worden afgeschaft.

De veronderstelling dat elke reeks elementen, tot de laatste aan toe, geordend kan worden, doet ons op het gebied van morele kwesties rechtstreeks in een moeras belanden. Wat is erger, de dood van een vogel of de dood van een mensenkind? Wat is erger, de dood van een albatros of de dood van een niet levensvatbare zuigeling met een hersenbeschadiging die kunstmatig in leven wordt gehouden?

Ongelukkigerwijs heeft het denken in geordende reeksen zoveel intuïtieve aantrekkingskracht dat het moeilijk valt op te geven. Dit is met name te zien in de jurisprudentie. In een poging over Adolf Eichmann een vonnis uit te spreken dat hardvochtiger ('erger') was dan de dood, kwamen zijn Israëlische rechters met: 'U zult worden opgehangen en uw lichaam zal tot as worden verbrand en de as zal worden verstrooid buiten de grenzen van Israël.' Maar in dit dubbele vonnis – over Eichmann en vervolgens over zijn stoffelijk overschot – klinkt meer door dan een zweem van wanhoop. De dood is absoluut. Er is niets ergers; en dit geldt niet alleen voor Eichmann, maar voor elk van de zes miljoen joden die stierven door toedoen van de nazi's. Zes miljoen sterfgevallen zijn niet hetzelfde als – 'komen' niet 'neer op', 'stijgen' niet 'uit boven' – één sterfgeval ('maar' één sterfgeval); wat betekent het desondanks – wat betekent het *precies* – om te zeggen dat zes miljoen sterfgevallen in hun gezamenlijkheid erger zijn dan één sterfgeval? Het is geen verlamming van het redelijk vermogen die ons hulpeloos naar de vraag doet staren. Het is de vraag zelf die niet klopt.

---

is dat in de modewereld, maar toch weet ik dat ik anders beweeg als er een camera op me gericht is, het maakt niet uit wie erachter staat. Het is eigenlijk meer dan dat, meer dan alleen de manier waarop ik beweeg. Het is bijna alsof ik buiten mezelf sta en kijk naar hoe ik eruitzie voor de camera. Het is alsof je jezelf in een spiegel ziet, alleen nog sterker, want

---

wereld, zeiden we bij onszelf, maar gericht tot een Duits publiek. Is dat niet een beetje raar – een boek in het Engels schrijven voor een stel moffen? Hoe moeten we dat uitleggen?

De verklaring die wij bedachten is de volgende. Dat in de Engels-

18. Over de vogels van de lucht

Er was eens een tijd dat de strook land tegenover de Towers aan de vogels toebehoorde, die aas zochten op de rivierbedding en dennenappels openbraken voor de pitten. Nu is het een groene ruimte geworden, een openbaar park voor tweepotige dieren; de rivier is rechtgemaakt, vol beton gestort en opgenomen in het afwateringsstelsel.

Tot de nieuwkomers behouden de vogels behoedzame afstand. Allemaal behalve de eksters. Allemaal behalve het eksteropperhoofd (zo zie ik hem), de oudste – althans degene die er het statigst en meest gehavend uitziet. Hij (zo zie ik hem, mannelijk tot op het bot) loopt in trage cirkels rond de plek waar ik zit. Hij inspecteert me niet. Hij is niet nieuwsgierig naar me. Hij waarschuwt me, waarschuwt dat ik uit de buurt moet blijven. Hij is ook op zoek naar mijn kwetsbare plek, voor het geval dat hij moet aanvallen, voor het geval dat het daarvan komt.

Als puntje bij paaltje komt (zo stel ik mij voor) is hij bereid de mogelijkheid van een compromis te overwegen: een compromis, bijvoorbeeld, dat inhoudt dat ik de aftocht blaas naar een van de beschermende kooien die wij menselijke dieren voor onszelf hebben opgetrokken aan de overkant van de straat, terwijl hij deze ruimte in eigendom houdt; of een compromis volgens hetwelk ik bereid ben alleen op gezette tijden uit mijn kooi te ko-

---

het zijn niet jouw ogen waardoor je wordt gezien, maar die van iemand anders.

Als u het mij vraagt, had uw vriend fantasieën over meisjes terwijl hij ze fotografeerde. Voor mij klinkt het tenminste als typisch iets van een fotograaf. Ik stond nooit stil bij wat er in het hoofd van de fotograaf omging terwijl hij zijn werk deed. Ik stond er expres nooit bij stil, bedoel

---

sprekende wereld, de wereld van pragmatisme en gezond verstand, een boek met uitspraken over de echte wereld niet veel lezers zal trekken als het afkomstig is van een man die alleen in de fantasiesfeer zijn sporen heeft verdiend. Terwijl in landen als Duitsland en Frankrijk mensen nog steeds geneigd zijn om op hun knieën te vallen voor wijzen met witte baarden. Zeg ons, o Meester, zo bidden wij u, wat er is misgegaan met

men, zeg tussen drie en vijf 's middags, wanneer hij graag een dutje doet.

Op een morgen was er een plotseling gebiedend gekletter bij mijn keukenraam. Daar zat hij, zich met zijn klauwen vastklampend aan de vensterbank, klappend met zijn vleugels, om me een waarschuwing te geven: zelfs binnenshuis zou ik misschien niet veilig zijn.

Nu, in de late lente, zitten hij en zijn wijfjes de hele nacht tegen elkaar te zingen in de boomtoppen. Dat ze mij uit mijn slaap houden, zal ze een zorg zijn.

Het eksteropperhoofd heeft geen vastomlijnd idee over hoe lang mensen leven, maar hij denkt dat het niet zo lang is als eksters. Hij denkt dat ik zal doodgaan in die kooi van mij, zal doodgaan van ouderdom. Dan kan hij het raam intimmeren, parmantig naar binnen lopen en mijn ogen uitpikken.

Af en toe, als het warm weer is, verwaardigt hij zich te drinken uit de kom van het drinkfonteintje. Op het moment dat hij zijn snavel optilt om het water door zijn keel te laten lopen, maakt hij zich kwetsbaar voor een aanval, en daarvan is hij zich bewust. Dus zorgt hij ervoor dat hij er buitengewoon streng uit blijft zien. Durf eens te lachen, zegt hij, en ik kom achter je aan.

Ik aarzel nooit hem mijn volledige respect te tonen, hem de volledige aandacht te geven die hij eist. Vanochtend had hij een kever gevangen en

---

ik. Het zou de foto bederven, hem obsceen maken, op een bepaalde manier, als het model en de fotograaf samenzwoeren, dat idee had ik tenminste. Wees jezelf, fluisterde ik altijd tegen mezelf, waarmee ik bedoelde dat ik gewoon in mezelf moest wegzinken, als in een vijver, zonder rimpels.

Ook vraag ik me af of uw Hongaarse vriend wel echt bestaat (bestond).

---

onze beschaving! Waarom zijn de bronnen opgedroogd, waarom regent het kikkers? Kijk in uw glazen bol en vertel het ons! Toon ons de weg naar de toekomst!

Je hebt besloten om je geluk als goeroe te beproeven, Juan. Tot die conclusie zijn we gekomen, Anya en ik. Je hebt eens rondgekeken op de banenmarkt – zo stelden we het ons voor – en gezien dat die krap was,

hij was erg trots op zichzelf – erg in zijn nopjes met zichzelf, zogezegd. Met de hulpeloze kever in zijn snavel, de vleugeltjes geknakt en naar weerskanten uitgespreid, hopste hij in mijn richting, na elke hops langdurig pauzerend, totdat hij niet meer dan een meter van me af was. 'Mooi werk,' mompelde ik tegen hem. Hij hield zijn kop schuin om naar mijn korte, tweelettergrepige liedje te luisteren. Gaf hij me een teken van herkenning? vroeg ik me af. Kom ik hier vaak genoeg om in zijn ogen als een onderdeel van zijn vaste omgeving te gelden?

Ook de kaketoes komen op bezoek. Een van hen zit vredig in een wilde pruimenboom. Hij slaat me gade, steekt zijn klauw uit met daarin een pruimenpit, alsof hij zeggen wil: 'Wil je een hapje?' Ik wil zeggen: 'Dit is een openbaar park. Jij bent hier net zo goed te gast als ik, het is niet aan jou om me eten aan te bieden.' Maar openbaar of privé, voor hem is het niet meer dan een pufje lucht. 'De wereld is van iedereen,' zegt hij.

Misschien is hij alleen maar weer een verhaal van u. U hoeft het me niet te vertellen. Het kan een geheim van u zijn. Maar ik zou wel graag willen horen waarom hij zich van kant heeft gemaakt.

Maar goed, of uw vriend nou echt was of niet, laat ik het maar toegeven, het heeft me nooit kunnen schelen of u fantasieën over me had. Van andere mannen kon het me soms wel schelen, maar niet van u. Het was een van de manieren waarop ik van nut kon zijn – dat zei ik tenminste

---

vooral voor zeventigplussers. Plakkaten tegen elk raam: *Ouden van dagen hoeven niet te solliciteren*. Maar dan, hallo, wat krijgen we nou? 'Gezocht: Bejaarde Goeroe. Moet leven vol ervaring hebben, wijze woorden voor alle gelegenheden. Lange witte baard strekt tot aanbeveling.' Waarom zou ik

19. Over compassie

Elke dag gedurende de afgelopen week is de thermometer boven de veertig graden uitgekomen. Bella Saunders uit de flat verderop in de gang vertelt me dat ze zich zorgen maakt over de kikkers langs de vroegere rivierbedding. Zullen ze niet levend gebraden worden in hun kamertjes van aarde? vraagt ze ongerust. 'Kunnen we niet iets doen om ze te helpen?' 'Wat stelt u voor?' zeg ik. 'Kunnen we ze niet uitgraven en naar binnen brengen tot de hittegolf voorbij is?' zegt ze. Ik raad haar af dat te proberen. 'U zult niet weten waar u graven moet,' zeg ik.

Tegen zonsondergang kijk ik hoe ze een plastic kom water naar de overkant van de straat draagt en hem achterlaat op de rivierbedding. Voor als de kleintjes dorst krijgen, legt ze uit.

Het is gemakkelijk om de draak te steken met mensen als Bella, om erop te wijzen dat hittegolven onderdeel zijn van een groter ecologisch proces waarin mensen niet horen in te grijpen. Maar ziet deze kritiek niet iets over het hoofd? Zijn ook wij mensen niet onderdeel van die ecologie, en is onze compassie met de kleine beestjes daarvan niet net zo goed een element als de wreedheid van de kraai?

---

tegen mezelf als ik me 's morgens voorbereidde om bij u op bezoek te gaan – bij Señor C, die wel eenzaam zou worden van het de hele dag in zijn eentje zitten met niemand om tegen te praten behalve de dictafoon en soms de vogels. Laten we er leuk voor hem uitzien, zodat hij herinneringen kan opslaan en iets heeft om over te dromen als hij vanavond naar bed gaat.

Ik hoop dat u het niet erg vindt dat ik dit zeg. Het zou beter zijn

---

niet een kansje wagen? zei je bij jezelf. Ik ben nou niet bepaald verafgood als romanschrijver – laten we eens kijken of ze me als goeroe zullen verafgoden.

20. Over kinderen

Nog een les van mijn uren in het park.

Ik ben voor kinderen, abstract gesproken. Kinderen zijn onze toekomst. Het is goed voor oude mensen om in de buurt van kinderen te zijn, het montert ons op. Enzovoort.

Wat ik van kinderen vergeet, is de onafgebroken herrie die ze maken. Ze schreeuwen, eenvoudig gezegd. Schreeuwen is niet alleen maar luidkeels in blokletters praten. Het is helemaal geen communicatiemiddel, maar een manier om rivalen te overstemmen. Het is een vorm van zelfbewustheid, een van de zuiverste die er zijn, gemakkelijk in praktijk te brengen en uitermate effectief. Een vierjarige mag dan niet zo sterk zijn als een volwassen man, hij is zeker luidruchtiger.

Een van de eerste dingen die wij zouden moeten leren op onze weg naar beschaafdheid: niet schreeuwen.

---

geweest als u dacht dat ik me volkomen natuurlijk gedroeg, dat ik gewoon mezelf was, dat ik geen idee had van de gedachten die u over me had. Maar je kunt geen vrienden zijn als je niet eerlijk bent (liefde is een ander verhaal), en als ik uw kleine typiste niet meer kan zijn, kan ik op zijn minst uw vriendin zijn. Dus ik zal het u eerlijk zeggen, ik heb uw gedachten nooit gênant gevonden, ik heb ze zelfs een beetje aangemoedigd. En er

---

Het enige probleem is dat wij in de Engelssprekende wereld onze goeroes met een korreltje zout nemen. Met wie moeten goeroes concurreren in de verkoopstatistieken? Met beroemde chef-koks. Met actrices die in muffe roddels grossieren. Met aan de dijk gezette politici. Geen gezel-

21. Over water en vuur

Zware regen deze week. Terwijl ik kijk hoe het straaltje dat door het park siepelt in een stroom verandert, word ik weer eens met mijn neus op de volstrekt vreemde aard van overvloedig stromend water gedrukt. De stroom laat zich niet in verwarring of verlegenheid brengen door de obstakels die hij op zijn weg vindt. Verwarring of verlegenheid behoren niet tot zijn repertoire. Barrières worden simpelweg genomen, obstakels opzij geschoven. Het ligt in de aard van water, zoals de pre-socratici hadden kunnen zeggen, om te stromen. In verwarring raken, of zelfs maar een ogenblik aarzelen, zou tegen de aard van water indruisen.

Vuur is de mens even vreemd. Wie aan vuur denkt, denkt intuïtief aan een verslindende kracht. Alles wat verslindt moet honger hebben, en het ligt in de aard van honger om gestild te willen worden. Maar de honger van vuur raakt nooit gestild. Hoe meer een vuur verslindt, des te groter het wordt; hoe groter het wordt, des te meer zijn honger toeneemt; hoe meer zijn honger toeneemt, des te meer het verslindt. Het enige dat weigert zich door vuur te laten verslinden is water. Als water kon branden, zou de hele wereld al lang geleden door vuur zijn verteerd.

---

is niks veranderd sinds ik weg ben, u kunt naar hartenlust gedachten over me blijven hebben (dat is het mooie van gedachten, toch, dat afstand er niet toe doet, of een scheiding). En als u wilt schrijven en me uw gedachten wilt vertellen, dan is dat ook oké. Ik kan heel discreet zijn.

Wat ik niet wil, als u schrijft of als u belt, is nieuws. Ik heb Sydenham Towers achter me gelaten, en Alan ook. Zo ben ik, zo zit ik nu eenmaal in

---

schap om over naar huis te schrijven. Dus dacht je bij jezelf: *Laten we het oude Europa proberen. Laten we eens zien of het oude Europa me het oor leent dat ik thuis niet krijg.*

Maar Anya werpt me blikken toe, zie ik. We blijven langer dan we

22. Over verveling

Alleen de hogere dieren zijn in staat om zich te vervelen, zei Nietzsche. Deze waarneming moet, neem ik aan, door de mens worden opgevat als een compliment – dat hij behoort tot de hogere dieren – zij het een compliment van nogal dubbelzinnige aard: de geest van de mens is rusteloos; als hij niet iets te doen krijgt, zal hij worden vertroebeld door ergernis, zal hij zich verlagen tot nervositeit en uiteindelijk zelfs tot boosaardige, onbezonnen destructiviteit.

Als kind lijk ik een onbewuste nietzscheaan te zijn geweest. Ik was ervan overtuigd dat de endemische verveling van mijn leeftijdgenoten een teken van hun hogere natuur was, dat daardoor een stilzwijgend oordeel werd uitgedrukt over alles wat hen verveelde, en daarom dat op alles wat hen verveelde moest worden neergekeken omdat het niet aan hun gewettigde menselijke behoeften voldeed. Dus als mijn medeleerlingen bijvoorbeeld verveeld raakten door poëzie, concludeerde ik dat dat de schuld van de poëzie zelf was, dat het feit dat ikzelf zo opging in poëzie abnormaal was, verwijtbaar en bovenal onvolwassen.

In deze redenering werd ik gestaafd door veel van de literaire kritiek van die dagen, die zei dat de moderne tijd (waarmee de twintigste eeuw werd bedoeld) poëzie van een nieuw, modern slag vereiste die definitief met het verleden zou breken, in het bijzonder met de poëzie van de victorianen.

---

elkaar: als ik ergens aan begin, doe ik het met hart en ziel, maar als het niet lukt, laat ik het achter me, is het afgelopen, bestaat het niet meer. Op die manier blijf ik positief, op die manier kan ik naar de toekomst kijken. Dus ik wil geen nieuws over Alan.

Heb ik u verteld dat ik Alan heb gevraagd me de rest van mijn spullen na te sturen? Ik heb hem gevraagd ze naar het adres van mijn moeder te verzenden. Ik heb gezegd dat ik zou betalen. Dat was vier maanden

---

welkom zijn. Goeie genade, het spijt me. We moeten ervandoor. Dank je, Juan, voor een prachtige avond. Echt stimulerend. Echt stimulerend, vind je niet, Anya?

Voor de werkelijk moderne dichter kon niets achterhaalder en daarom verachtelijker zijn dan een voorliefde voor Tennyson.

Het feit dat mijn klasgenoten zich verveelden bij Tennyson was voor mij het bewijs, als ik bewijs nodig had, dat zij zonder het te beseffen de authentieke dragers van het nieuwe, moderne bewustzijn waren. Via hen sprak de *Zeitgeist* zijn strenge oordeel uit over het victoriaanse tijdperk, en over Tennyson in het bijzonder. Wat het lastige feit betreft dat mijn klasgenoten zich evenzeer verveelden bij (om niet te zeggen verbijsterd werden door) T.S. Eliot, dat liet zich verklaren door een nawalmend gebrek aan ruggengraat bij Eliot, een verzuim van zijn kant om aan hun bruuske mannelijke normen te voldoen.

Dat mijn klasgenoten poëzie saai vonden – zoals ze al hun schoolvakken saai vonden – omdat ze zich niet konden concentreren, kwam niet bij me op.

De ernstigste gevolgen van het *non sequitur* waartoe ik was vervallen (de grootste intelligenties raken het snelst verveeld, dus bezitten zij die het snelst verveeld zijn de grootste intelligentie) betroffen het domein van de godsdienst. Ik vond godsdienstige plechtigheden saai, dus moesten *a fortiori* mijn leeftijdgenoten, als moderne geesten, godsdienst ook saai vinden. Het feit dat zij geen symptomen van verveling vertoonden, dat zij bereid waren de christelijke leer na te praten en een christelijke moraliteit te belijden terwijl ze zich als wilden bleven gedragen, was voor mij het bewijs van

---

geleden. Geen antwoord. Stilte. Als ik iemand anders was dan ik ben, zou ik met een blik petroleum naar de flat gaan (ik heb nog steeds een sleutel) en de boel in brand steken. Dan zou hij weten waar een onrechtvaardig behandelde vrouw toe in staat is. Maar zo ben ik niet.

Mijn moeder zegt: Laat hem die spullen houden, het zijn maar spullen, je kunt wel nieuwe krijgen, hij is de verliezer, waar vindt hij nog zo'n meisje als mijn Anya? Mijn moeder is heel loyaal. Zo zijn wij, wij

---

In de lift kreeg ik eindelijk een kans om mijn zegje te doen. Wat je me vanavond hebt laten doormaken zal ik je nooit vergeven, Alan, zei ik. Nooit. En dat meen ik.

een volwassen vermogen hunnerzijds om de scheiding tussen de werkelijke (zichtbare, tastbare) wereld en de verzinsels van de godsdienst tot uitdrukking te brengen.

Pas nu, laat in mijn leven, begin ik in te zien hoe gewone mensen, Nietzsches verveelde hogere dieren, hun omgeving echt de baas kunnen. Ze kunnen haar niet de baas door geïrriteerd te raken, maar wel door hun verwachtingen naar beneden bij te stellen. Ze kunnen haar de baas door dingen te leren uitzitten, door de geestelijke machinerie een tandje lager te zetten. Ze sluimeren; en omdat ze het niet erg vinden om te sluimeren, vinden ze het niet erg om zich te vervelen.

Volgens mij bewees het verzuim van mijn leraren, de maristenbroeders, om elke morgen gehuld in vuur te verschijnen en diepe en vreselijke metafysische waarheden te verkondigen dat zij onwaardige dienaren waren. (Dienaren van wie, van wat? Zeker niet van God – God bestond niet, dat hoefde niemand me te vertellen – maar van de Waarheid, van het Niets, van de Leegte.) Volgens mijn jeugdige leeftijdgenoten daarentegen waren de broeders alleen maar saai. Ze waren saai omdat alles saai was; en aangezien alles saai was, was niets saai, je leerde er gewoon mee leven.

Omdat ik op de vlucht was voor godsdienst, nam ik aan dat mijn klasgenoten ook voor godsdienst op de vlucht moesten zijn, zij het op een rustiger, meer schrandere manier dan ik tot dan toe had kunnen ontdekken.

Filippijnsen. Goede echtgenotes, goede geliefden en ook nog goede vriendinnen. Alles goed.

Denk niet slecht over Alan. Slechte gedachten kunnen uw dag bederven, en is 't het waard om uw dag te bederven als u niet zoveel dagen meer over hebt? Blijf kalm van geest, doe alsof hij niet bestaat, alsof hij iemand is uit een slecht verhaal dat u heeft weggegooid.

In het schelle licht van boven zakten Alans kaken omlaag. Hij zag er op dat moment uit als degene die hij was: een bokkige, ontevreden, halfdronken, middelbare blanke Australiër.

Niets, zei ik, niets wat ik heb gedaan of wat C heeft gedaan rechtvaardigt de manier waarop jij je hebt gedragen.

Pas nu realiseer ik me hoezeer ik me vergiste. Ze waren helemaal nooit op de vlucht. Evenmin zijn hun kinderen op de vlucht, of hun kleinkinderen. Tegen de tijd dat ik de zeventienjarige leeftijd bereikte, placht ik te voorspellen, zouden alle kerken ter wereld in schuren of musea of pottenbakkerijen veranderd zijn. Maar ik had het mis. Zie aan, elke dag verrijzen er nieuwe kerken, over de hele wereld, om van moskeeën nog maar te zwijgen. Dus Nietzsches uitspraak dient geamendeerd te worden: Het mag dan waar zijn dat alleen de hogere dieren tot verveling in staat zijn, de mens bewijst dat hij de hoogste van allemaal is omdat hij de verveling kan temmen, haar een thuis kan geven.

We hadden een goede verstandhouding, u en ik – vindt u niet? – en die was gebaseerd op eerlijkheid. Wij waren behoorlijk eerlijk tegen elkaar. Dat vond ik prettig. Tegen Alan kon ik niet altijd eerlijk zijn. Je kunt niet eerlijk zijn in een huwelijksachtige relatie waarin je samenleeft, niet absoluut eerlijk, niet als je wilt dat het goed blijft gaan. Dat is een van de minpunten van een huwelijk.

Op de vijfentwintigste verdieping ging de deur open. Ik hoor je, zei Alan. Ik hoor je luid en duidelijk. En weet je wat ik daarop te zeggen heb, mopje van me? Ik zeg: Je kan de pot op.

•

23. Over J.S. Bach

Ons beste bewijs dat het leven goed is, en daarom dat er misschien toch een God is wie ons welzijn ter harte gaat, is dat ieder van ons, op de dag dat we geboren worden, de muziek van Johann Sebastian Bach ontvangt. We ontvangen haar als een geschenk, onverdiend, zonder er recht op te hebben, gratis.

Wat zou ik graag voor één keer met die man spreken, die nu al zoveel jaren dood is! 'Kijk hoe wij in de eenentwintigste eeuw nog steeds uw muziek spelen, hoe we haar bewonderen en liefhebben, hoe we erin opgaan en erdoor geroerd en gesterkt en blij gemaakt worden,' zou ik zeggen. 'In naam van de gehele mensheid, aanvaard deze woorden van hulde, hoe ontoereikend ze ook zijn, en laat alles wat u gedurende die bittere laatste jaren van u te verduren hebt gekregen, inclusief de wrede operaties aan uw ogen, vergeten zijn.'

Waarom is het met Bach en met Bach alleen dat ik zo graag zou willen

---

Wat u ook doet, zorg dat u niet in de put raakt. Ik weet dat u denkt dat u niet meer bent wat u was, maar in werkelijkheid bent u nog steeds een knappe man en een echte heer bovendien, die weet hoe hij een vrouw zich vrouw kan laten voelen. Vrouwen waarderen dat in een man, wat er verder ook mag ontbreken. En wat uw schrijverschap betreft, u bent zonder twijfel een van de besten, absolute topklasse, en dat zeg ik niet alleen maar als uw vriendin. U weet hoe u de lezer erbij moet betrekken (bijvoorbeeld in dat stuk over de vogels in het park). U brengt dingen tot leven. Als ik

---

Lang na de breuk met Alan, na de verhuizing naar Queensland, nadat Señor C me zijn boek had gestuurd en ik terugschreef om hem te bedanken, belde ik mevrouw Saunders in de Sydenham Towers. Ik heb mevrouw Saunders nooit echt goed leren kennen toen ik daar nog woonde, ze is een beetje kierewiet (zij was het die me vertelde dat Señor C uit Colombia kwam, ze moet hem met iemand anders hebben verward), maar haar flat is op dezelfde verdieping als de zijne en ik weet dat ze haar hart op de juiste plaats heeft (zij was het die altijd de vogels in het park voerde).

Mevrouw Saunders, zei ik, wilt u me bellen als er iets met de Señor

spreken? Waarom niet met Schubert ('Laat de wrede armoede waarin u moest leven vergeten zijn')? Waarom niet met Cervantes ('Laat het wrede verlies van uw hand vergeten zijn')? Wie is Johann Sebastian Bach voor mij? Noem ik, door hem te noemen, de vader die ik zou kiezen als men uit alle levenden en doden zijn vader zou mogen kiezen? Heb ik hem in deze zin als mijn geestelijke vader uitverkoren? En wat wil ik goedmaken door ten langen leste een eerste, zwakke glimlach op zijn lippen te brengen? Dat ik, in mijn tijd, zo'n slechte zoon ben geweest?

---

eerlijk moet zijn, die uitgesproken meningen over politiek en zo waren niet uw beste, misschien omdat er geen verhaal in politiek zit, misschien omdat u de voeling een beetje kwijt bent, misschien omdat de stijl niet bij u past. Maar ik hoop echt dat u uw onuitgesproken meningen op een dag zult publiceren. Als u dat doet, denk er dan aan dat u een exemplaar aan de kleine typiste stuurt die u de weg heeft gewezen.

Op het persoonlijke vlak gaat alles goed in mijn leven. Ik ben naar Brisbane verhuisd, zoals u kunt zien. Townsville was te klein voor mij, in

---

gebeurt, als hij naar het ziekenhuis moet of erger? Ik zou het Alan kunnen vragen, mijn ex, maar het is een beetje bekoeld tussen ons tweeën, en trouwens, Alan is een man en mannen hebben geen oog voor dingen. Bel me en ik kom eraan. Niet dat ik veel voor hem kan doen – ik ben geen verpleegster – maar ik moet er niet aan denken dat hij helemaal in zijn eentje, u weet wel, het einde onder ogen moet zien. Hij heeft voor zover ik weet geen kinderen en geen familie, niet in dit land, dus er zal niemand zijn om alles te regelen, en dat is niet leuk, niet zoals het hoort, als u begrijpt wat ik bedoel.

24. Over Dostojevski

Gisteravond heb ik het vijfde hoofdstuk van het tweede deel van *De broers Karamazov* herlezen, het hoofdstuk waarin Ivan zijn toegangskaartje voor het door God geschapen universum teruggeeft, en ik moest er onbedaarlijk van snikken.

Het zijn bladzijden die ik ontelbare keren eerder heb gelezen, maar in plaats van dat ik gewend raak aan de kracht ervan, merk ik dat ik er steeds kwetsbaarder tegenover kom te staan. Waarom? Het is niet zo dat ik Ivans nogal wraakzuchtige gezichtspunten deel. In tegenstelling tot hem geloof ik dat de grootste van alle bijdragen aan de politieke ethiek is gedaan door Jezus toen hij de gekwetsten en beledigden onder ons aanspoorde om de andere wang toe te keren, en daarmee de cyclus van wraak en vergelding te doorbreken. Dus waarom maakt Ivan me dan tegen wil en dank aan het huilen?

---

mijn hart ben ik een stadsmens. Ik ga hier met een man om en we zijn gelukkig samen (denk ik). Hij is een echte Aussie, hij heeft zijn eigen bedrijf (airconditioning) en hij is meer van mijn leeftijd (Alan was in dat opzicht niet goed voor me). Misschien stappen hij en ik wel in het huwelijksbootje – we zullen wel zien. Hij wil kinderen, en ik ben niet vergeten wat u me hebt aangeraden, over dat je er niet te lang mee moet wachten.

Terwijl ik in Townsville was heb ik wat modellenwerk gedaan, gewoon

---

Ik weet niet zeker of mevrouw Saunders echt begreep wat ik bedoelde, ze is een beetje zweverig en haar radar is toch al niet erg ingesteld op Señor C, maar ze schreef mijn nummer op en beloofde te bellen.

Vertel het hem niet, zei ik. Beloof het. Vertel hem niet dat ik naar hem heb geïnformeerd. Vertel hem niet dat ik me zorgen maak.

Ze beloofde het, voor wat dat waard is.

Maak ik me zorgen? Niet echt, niet op de gebruikelijke manier. We moeten nu eenmaal allemaal doodgaan, hij is oud, hij zal er nooit meer aan toe zijn om dood te gaan dan nu. Wat heeft het voor zin om je vast te klampen, alleen maar voor het vastklampen? Het is oké als je nog voor jezelf kunt zorgen, maar zelfs tegen de tijd dat ik uit Sydney wegging, kon

Het antwoord heeft niets met ethiek of politiek te maken, maar alles met retoriek. In zijn tirade tegen vergiffenis maakt Ivan schaamteloos gebruik van sentiment (gemartelde kinderen) en karikatuur (wrede grootgrondbezitters) om zijn doel te verwezenlijken. Veel krachtiger dan de inhoud van zijn betoog, dat niet erg overtuigend is, zijn de smartelijke accenten, de persoonlijke smart van een ziel die de gruwelen van deze wereld niet kan verdragen. Het is de stem van Ivan, zoals tot leven gebracht door Dostojevski, en niet zijn redenering die me in vervoering brengt.

Zijn die smartelijke accenten echt? Voelt Ivan zich 'echt' zoals hij beweert zich te voelen, en deelt de lezer bijgevolg 'echt' Ivans gevoelens? Het antwoord op die laatste vraag is lastig. Het antwoord is Ja. Wat je herkent, zelfs terwijl je Ivans woorden hoort, zelfs terwijl je je afvraagt of hij echt gelooft wat hij zegt, zelfs terwijl je je afvraagt of je wilt opstaan om hem te volgen en ook je kaartje terug te geven, zelfs terwijl je je afvraagt of het niet louter retoriek is ('louter' retoriek) wat je leest, zelfs terwijl je je afvraagt,

---

voor de lol. Als u zin hebt, surf dan naar www.sunseasleep.com.au – het is een postordercatalogus en ik sta op de pagina's met nachtkleding, best om op te vreten, al zeg ik het zelf. Dus ik kan altijd daar nog op terugvallen totdat mijn uiterlijk me in de steek laat, wat een troost is.

Ik heb in geen maanden iets van Alan gehoord. Toen we net uit elkaar waren belde hij elke dag, omdat hij wilde dat ik terugkwam. Maar hij is nooit zelf gekomen en voor mij hangt de liefde van een man af van of hij

---

ik al zien dat hij een beetje trillerig werd, een beetje beverig. Het zou niet lang meer duren of hij zou die flat van hem moeten opgeven en naar een tehuis moeten, en dat zou hij niet leuk vinden. Dus ik zit niet zozeer in over zijn dood als wel over wat hem kan overkomen op weg daar naartoe. Mevrouw Saunders mag het hart dan op de juiste plaats hebben, mevrouw Saunders is alleen maar een buurvrouw, terwijl ik altijd een beetje meer was. Ik was degene op wie hij verliefd was, op zijn oudemannenmanier, wat ik nooit erg vond zolang het niet te ver ging. Ik was zijn *secret aria* secretaresse, zei ik altijd tegen hem (voor de grap), en hij sprak het nooit tegen. Als ik de moeite had genomen om op een warme lentenacht aan de liftdeur te luisteren, had ik hem vast zachtjes zijn liefdeslied door de

geschokt, hoe een christen, Dostojevski, een volgeling van Christus, Ivan zulke krachtige woorden in de mond kon leggen – zelfs te midden van dat alles is er ruimte genoeg om ook nog te denken: *Godlof! Eindelijk zie ik het voor me, de strijd die op de hoogste gronden wordt gestreden! Als het iemand (Aljosja, bijvoorbeeld) gegeven zal zijn Ivan te overwinnen, door woord of door voorbeeld, dan zal het woord van Christus inderdaad voor altijd gelden!!* En daarom denk je: *Slava, Fjodor Michajlovitsj! Moge je naam voor altijd weerklinken in de eregalerijen!*

---

bereid is om voor je te knielen en je een boeket rode rozen aan te bieden en je om vergiffenis te smeken en te beloven zijn leven te beteren. Behoorlijk romantisch, vindt u niet? Behoorlijk onrealistisch ook. Maar goed, Alan is nooit gekomen, en ik ben opgehouden zijn telefoontjes te beantwoorden, en uiteindelijk hield hij op met bellen. Ik neem aan dat hij iemand anders heeft gevonden. Ik wil het niet weten, dus vertel het me niet. Hij had sowieso nooit bij zijn vrouw weg moeten gaan. Dat neem ik mezelf kwalijk. Hij had moeten doorbijten.

---

schacht horen zingen. Hem en de ekster. Meneer Melancholie en meneer Ekster, het liefdesverdrietige duo.

Ik zal naar Sydney vliegen. Dat zal ik doen. Ik zal zijn hand vasthouden. Ik kan niet met u meegaan, zal ik tegen hem zeggen, dat is tegen de regels. Ik kan niet met u meegaan, maar wat ik zal doen is uw hand vasthouden tot aan de poort. Bij de poort kunt u loslaten en naar me glimlachen om te laten zien dat u een grote jongen bent en op de boot stappen of wat u ook moet doen. Tot aan de poort zal ik uw hand vasthouden, ik zal er trots op zijn om dat te doen. En ik zal naderhand opruimen. Ik zal uw flat opruimen en alles in orde maken. Ik zal de Russische poppetjes en de andere privéspullen in de vuilnisbak gooien, zodat u aan de andere kant geen akelige gedachten hoeft te hebben over wat mensen aan deze kant over u zullen zeggen. Ik zal uw kleren naar de liefdadigheidswinkel brengen. En ik zal die man in Duitsland schrijven, meneer Wittwoch, als hij zo heet, om hem te laten weten dat het met uw Meningen gedaan is, dat er geen nieuwe meer zullen komen.

En ook Rusland ben je dankbaar, moedertje Rusland, omdat het met zo'n onbetwistbare zekerheid de normen voor ons heeft gesteld waaraan elke serieuze romanschrijver moeizaam moet zien te voldoen, ook al is het met de geringste kans van slagen: de norm van de meester Tolstoj aan de ene kant en van de meester Dostojevski aan de andere. Door hun voorbeeld word je een beter kunstenaar; en met beter bedoel ik niet bekwamer maar ethisch beter. Zij vernietigen je onzuivere pretenties; zij verhelderen je blik; zij sterken je arm.

Nog een vriendschappelijke raad, voor ik het vergeet. Laat een deskundige komen om uw harde schijf schoon te maken. Het kost misschien honderd dollar, maar u kunt zich uiteindelijk een hoop ellende besparen. Kijk onder Computerservice in de beroepengids.

Ik weet dat u een heleboel fanmail van bewonderaars krijgt die u wegkiepert, maar ik hoop dat deze tot u is doorgedrongen.

Dag,

Anya (ook een bewonderaar)

Dat alles zal ik hem beloven, en zijn hand stevig vasthouden en hem een kus op zijn voorhoofd geven, een echte kus, om hem te herinneren aan wat hij achterlaat. Welterusten, Señor C, zal ik in zijn oor fluisteren; zoete dromen, en zwermen engelen, en de hele rest.

NOTEN

1. Thomas Hobbes, *On the Citizen*, red. Richard Tuck, Cambridge University Press, hoofdstuk 10, pp. 115-116.

2. Etienne de La Boétie, *Discours de la servitude volontaire*, (1549) paragraaf 20 en 23.

3. Niccolò Machiavelli, *Il Principe*, (1513) hoofdstuk 18.

4. H.S. Versnel, 'Beyond cursing: The Appeal to Justice in Judicial Prayers', in *Magika Hiera: Ancient Greek Magic and Religion*, red. Christopher A. Faraone en Dirk Obbink (Oxford University Press, New York 1991), pp. 68-69.

5. Jean-Pierre Vernant, 'Intimidation de la volonté dans la tragédie grècque', uit Jean-Pierre Vernant en Pierre Vidal-Naquet, *Mythe et tragédie en Grèce ancienne*, Éd. François Maspero, Parijs 1972.

6. 'Funes de allesonthouder', vertaald door Barber van de Pol, in *De Aleph en andere verhalen*, De Bezige Bij, Amsterdam 1998, pp. 198-199.

7. Judith Brett, 'Relaxed and Comfortable', *Quarterly Essay* no. 19 (2005), pp. 1-79.

8. *De geur van guave*, vertaald door Mariolein Sabarte Belacortu, Meulenhoff, Amsterdam 1983, p. 37.

VERANTWOORDING

Dank ben ik verschuldigd aan Cambridge University Press voor de toestemming om te citeren uit Thomas Hobbes, *On the Citizen* (Cambridge, 1998); aan Carmen Balcells en de auteur voor de toestemming om te citeren uit Gabriel García Márquez, *The Flavour of Guavas* (London, 1983); aan New Directions voor de toestemming om te citeren uit Jorge Luis Borges, *Labyrinths* (New York, 1962); aan Oxford University Press voor de toestemming om te citeren uit *Magika Hiera* (New York, 1991); en aan Zone Books voor de toestemming om te citeren uit Jean-Pierre Vernant en Pierre Vidal-Naquet, *Myth and Tragedy in Ancient Greece* (New York, 1990).

Voor hun gulle advies dank ik Danielle Allen, Reinhild Boehnke, Piergiorgio Odifreddi en Rose Zwi. Voor wat ik met hun advies heb gedaan ben ik alleen verantwoordelijk.

JMC

Meer informatie over J.M. Coetzee en
de boeken van uitgeverij Cossee vindt u op onze website
www.cossee.com